Wortschatztrainer
Deutsch
als Fremdsprache

Üben, erweitern, wiederholen

Von
Goranka Rocco
Susanne Krauß
Nathalie Vogelwiesche

Dudenverlag
Berlin

Die **Duden-Sprachberatung** beantwortet Ihre Fragen
zu Rechtschreibung, Zeichensetzung, Grammatik u. Ä.
montags bis freitags zwischen 09:00 und 17:00 Uhr.
Aus Deutschland: **09001 870098** (1,99 € pro Minute aus dem Festnetz)
Aus Österreich: **0900 844144** (1,80 € pro Minute aus dem Festnetz)
Aus der Schweiz: **0900 383360** (3,13 CHF pro Minute aus dem Festnetz)
Die Tarife für Anrufe aus den Mobilfunknetzen können davon abweichen.
Den kostenlosen Newsletter der Duden-Sprachberatung können Sie
unter www.duden.de/newsletter abonnieren.

Bibliografische Information der Deutschen Nationalbibliothek
Die Deutsche Nationalbibliothek verzeichnet diese Publikation in der
Deutschen Nationalbibliografie; detaillierte bibliografische Daten sind im Internet
über http://dnb.dnb.de abrufbar.

© Duden 2016   D C B A
Bibliographisches Institut GmbH, Mecklenburgische Straße 53, 14197 Berlin

Redaktion Melanie Kunkel
Autorinnen Dr. Goranka Rocco, Susanne Krauß, Nathalie Vogelwiesche

Herstellung Uwe Pahnke
Umschlaggestaltung Büroecco, Augsburg
Umschlagabbildungen vorn: © Fotolia/womue (Apfel), © iStock/Cgissemann (Birne),
© Fotolia/Zdenka Darula (Gemüse schneiden), © Fotolia/WavebreakmediaMicro (Salat mischen);
hinten: © iStock/pierluigi meazzi (Kirschen), © iStock/Dr. Heinz Linke (Unterrichtsszene)
Layout und Satz fotosatz griesheim GmbH
Druck und Bindung Heenemann GmbH & Co. KG
Bessemerstraße 83–91, 12103 Berlin
Printed in Germany

ISBN 978-3-411-75003-0
www.duden.de

Liebe Deutschlernende,

mit dem „Wortschatztrainer Deutsch als Fremdsprache" können Sie die wichtigsten Wörter des Alltags- und Berufslebens lernen und wiederholen. Die zwölf thematischen Kapitel bieten Ihnen abwechslungsreiche Übungen mit typischen Dialogen und Textbeispielen auf den Niveaustufen A1 bis B1.

Es gibt Übungen mit **zwei Schwierigkeitsgraden**:

69. einfache Übung  **80.** schwierigere Übung

Zwischen den Übungen finden Sie zahlreiche **Merkkästen** mit zwei Arten von Informationen:

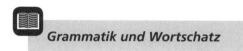 *Grammatik und Wortschatz* 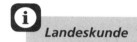 *Landeskunde*

Am Ende des Buchs stehen alle **Lösungen**; so können Sie im Selbststudium Ihren Lernerfolg kontrollieren.

Das alphabetisch geordnete **Register** enthält die wichtigsten Wörter; zu den Nomen finden Sie auch Artikel und Pluralformen. Die Wörter sind (in der jeweiligen Bedeutung, die sie in den Übungen haben) ins Englische und Arabische übersetzt:

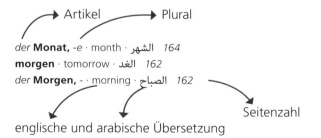

Artikel → Plural

der **Monat,** -e · month · الشهر *164*
morgen · tomorrow · الغد *162*
der **Morgen,** - · morning · الصباح *162*

Seitenzahl

englische und arabische Übersetzung

Ein Tipp: Lernen Sie in kleinen Einheiten und möglichst oft – und wiederholen Sie regelmäßig die Wörter, mit denen Sie noch Schwierigkeiten hatten.

Wir wünschen Ihnen viel Erfolg und viel Spaß!

Die Autorinnen und die Dudenredaktion

Inhaltsverzeichnis

Informationen zur Person **6**
Vorstellung und Begrüßung 6
Persönliche Angaben 10
Länder und Sprachen 13
Gefühle und Eigenschaften 16

Körper und Gesundheit **20**
Körperteile und Aussehen 20
Körperpflege 22
Körper und Sinne 24
Gesundheit und Krankheit 27

Familie, Freunde, Kontakte **34**
Meine Familie 34
Freunde, Kollegen, Nachbarn 38
Liebesbeziehungen 41
Einladungen, Verabredungen, Besuche 42

Essen und Trinken **47**
Essen 47
Getränke 52
Mahlzeiten und Kochen 54
Auswärts essen 58

Wohnen **62**
Haus und Wohnung 62
Einrichtung 68
Haushaltsgeräte 70
Hausarbeiten 72

Ausbildung und Arbeit **77**
Schule, Ausbildung, Studium 77
Arbeitssuche und Bewerbung 83
Arbeits- und Berufswelt 85
Im Büro 88

Einkaufen und Geschäfte **91**
Im Supermarkt 91
Im Kaufhaus 94
Kleidung 96
Accessoires 102

Freizeit, Sport, Unterhaltung **104**
Freizeit und Hobbys 104
Sport 110
Kultur: Kino, Theater, Museum... 114

Reisen **118**
Öffentliche Verkehrsmittel 118
Private Verkehrsmittel 124
Reisen und Tourismus 127
Orientierung 130

Gesellschaft, Politik, Wirtschaft **133**
Institutionen und Behörden 133
Post und Telefon 137
Politik und Aktuelles 139
Geld und Wirtschaft 144

Geografie, Natur, Wetter **147**
Geografie: Städte und Länder 147
Natur und Umweltschutz 151
Tiere und Pflanzen 154
Wetter 157

Zeit, Zahlen, Maße **161**
Zeit 161
Tag, Monat, Jahr 167
Zahlen und Maße 169

Lösungen 174

Register 188

Bildquellenverzeichnis 208

Vorstellung und Begrüßung

1. Ordnen Sie die Begrüßungen und Verabschiedungen in die Tabelle ein.

begrüßen	verabschieden
Hallo	

2. Richtig reagieren. Wählen Sie die passende Antwort.

1. Wie begrüßt man eine Person um die Mittagszeit?
- ○ **a)** Guten Morgen!
- ○ **b)** Guten Tag!
- ○ **c)** Gute Nacht!

2. Wie begrüßt man sich in Österreich?
- ○ **a)** Servus!
- ○ **b)** Moin, moin!
- ○ **c)** Gute Besserung!

3. Wie begrüßt man sich in der Schweiz?
- ○ **a)** Moin, moin!
- ○ **b)** Gute Fahrt!
- ○ **c)** Grüezi!

4. Wie spricht man Arbeitskollegen an, die man noch nicht gut kennt?
- ○ **a)** eher mit „Du"
- ○ **b)** eher mit „Sie"
- ○ **c)** mit dem Nachnamen und „Du"

5. Wie spricht man Kinder an, die man nicht gut kennt?
- ○ **a)** mit „Du"
- ○ **b)** mit „Sie"
- ○ **c)** mit dem Vornamen und „Sie"

6. Wie verabschiedet man sich am Telefon?
- ○ **a)** Auf Wiedersehen.
- ○ **b)** Auf Wiederhören.
- ○ **c)** Einen Moment, bitte.

3. Wer sagt was? Ordnen Sie zu.

> **Hallo, Tim, wie gehts?** • **Wie schön, dass ihr da seid!** •
> **Ich bin Doktor Sassnitz – und wie heißt du?** •
> **Es freut mich, Sie kennenzulernen.** • **Herzlich willkommen!**

1. _____

_____

2. _____

_____

3. _____

_____

4. _____

_____

5. _____

_____

4. Du oder Sie? Was fragt die Person mit der Sprechblase? Wählen Sie das richtige
Pronomen und ergänzen Sie die Verbendung.

> **dein** • **ihr** *(2x)* • **euer** • **du** *(2x)* • **Sie** *(2x)* • **Ihr**

1. Wie heiß___ _____?

2. Wie ist _____ Name?

3. Woher komm___ _____?

4. Wie heiß___ _____?

5. Wie ist _____ Name?

6. Woher komm___ _____?

7. Wie heiß___ _____?

8. Wie ist _____ Name?

9. Woher komm___ _____?

5. Kennenlernen auf Sarahs Party. Bringen Sie die Sätze im Dialog in die richtige Reihenfolge.

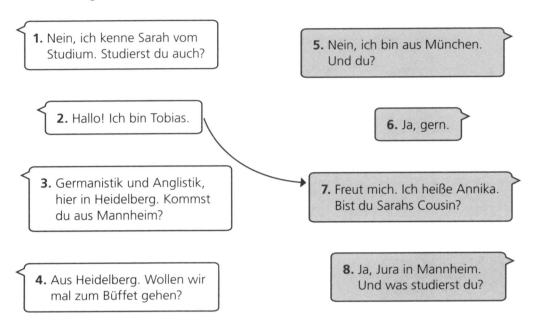

1. Nein, ich kenne Sarah vom Studium. Studierst du auch?

5. Nein, ich bin aus München. Und du?

2. Hallo! Ich bin Tobias.

6. Ja, gern.

3. Germanistik und Anglistik, hier in Heidelberg. Kommst du aus Mannheim?

7. Freut mich. Ich heiße Annika. Bist du Sarahs Cousin?

4. Aus Heidelberg. Wollen wir mal zum Büffet gehen?

8. Ja, Jura in Mannheim. Und was studierst du?

6. An der Hotelrezeption. Bringen Sie die Sätze im Dialog in die richtige Reihenfolge.

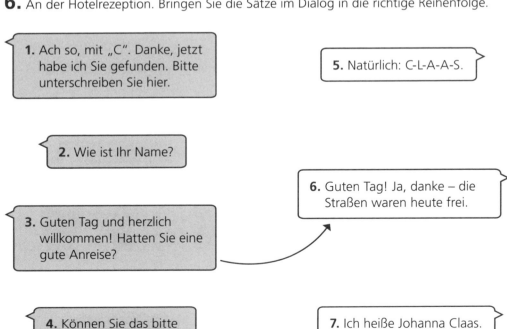

1. Ach so, mit „C". Danke, jetzt habe ich Sie gefunden. Bitte unterschreiben Sie hier.

5. Natürlich: C-L-A-A-S.

2. Wie ist Ihr Name?

6. Guten Tag! Ja, danke – die Straßen waren heute frei.

3. Guten Tag und herzlich willkommen! Hatten Sie eine gute Anreise?

4. Können Sie das bitte buchstabieren?

7. Ich heiße Johanna Claas.

7. Eine informelle und eine formelle E-Mail. Ergänzen Sie die Sätze.

Dich ▪ Sie *(2x)* ▪ Hallo, Petra ▪ Ihr ▪ Sehr geehrte Damen und Herren ▪
Liebe Grüße ▪ Deinen ▪ Mit freundlichen Grüßen ▪ Ihre

Von: m.hofinger32@mailforyou.com
An: petra.glaser@mailforyou.com
Betreff: Einladung zum Geburtstagsbrunch

_____ **(1)**,

nächsten Sonntag habe ich Geburtstag und möchte _____ **(2)**

gern zum Brunch einladen! Ich feiere ab 10 Uhr bei mir zu Hause.

_____ **(3)** Freund kannst Du natürlich auch gern mitbringen.

Ich würde mich sehr freuen, wenn _____ **(4)** kommt. :-)

_____ **(5)** und bis bald

Dein Martin

Von: berger@hzr.com
An: management@swu-software.com
Betreff: Workshop „Qualitätsmanagement"

_____ **(6)**,

hiermit laden wir _____ **(7)** herzlich zum Workshop „Qualitäts-

management" am Dienstag, dem 15. Februar 2016, 10:00–12:00 Uhr, im Kongress-

hotel Nürnberg ein. Das Programm finden Sie im Anhang.

Wir freuen uns auf _____ **(8)** Teilnahme! Bitte melden

_____ **(9)** sich bis zum 31. Januar 2016 per E-Mail an.

Vielen Dank im Voraus.

_____ **(10)**

Michael Berger, HZR Consulting

Rechtschreibung: Sie, Ihnen, du, euer ...
▶ In der Anrede schreibt man die Höflichkeitsformen *Sie, Ihnen, Ihr ...* immer groß.
▶ Dagegen schreibt man *du, dir, ihr, dein, euer ...* immer klein. In Briefen und E-Mails darf
man sie aber auch großschreiben.

Persönliche Angaben

8. Fragen und Antworten. Ordnen Sie zu.

1. Wie heißen Sie?	**a)** Ja, einen Sohn und eine Tochter.
2. Wie alt sind Sie?	**b)** Ich bin 33.
3. Sind Sie verheiratet?	**c)** Sie heißt Anja.
4. Haben Sie Kinder?	**d)** Am 15. Februar.
5. Wie heißt Ihr Sohn?	**e)** Er heißt Simon.
6. Wie heißt Ihre Tochter?	**f)** In Stuttgart.
7. Wo wohnen Sie?	**g)** Nein, ich komme aus Berlin.
8. Kommen Sie aus München?	**h)** Nein, ich bin ledig.
9. Wann haben Sie Geburtstag?	**i)** Ich heiße Daniela Beckmann.

9. Personengruppen. Ordnen Sie die Wörter den Bildern zu.

kinderfrauenjugendlicheeheepaarseniorenmänner

1. _____

2. _____

3. _____

4. _____

5. _____

6. _____

10. Der Personalausweis. Ordnen Sie die Wörter zu.

Vorderseite:

der Vorname ▪ die Staatsangehörigkeit ▪ das Geburtsdatum ▪
der Geburtsort ▪ der Name ▪ die Unterschrift ▪ der Geburtsname

1. _____

2. _____

3. _____

4. _____

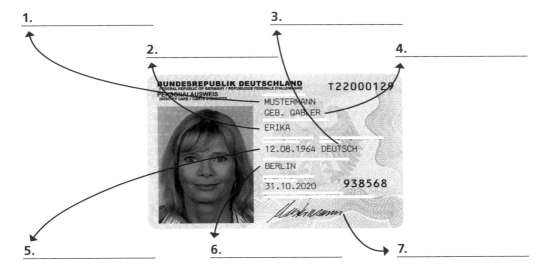

5. _____

6. _____

7. _____

Rückseite:

die Augenfarbe ▪ das Datum ▪ die Größe ▪ die Postleitzahl ▪
die Anschrift ▪ die Straße ▪ der Ort (Wohnort) ▪ die Hausnummer

8. _____

9. _____

10. _____

11. _____

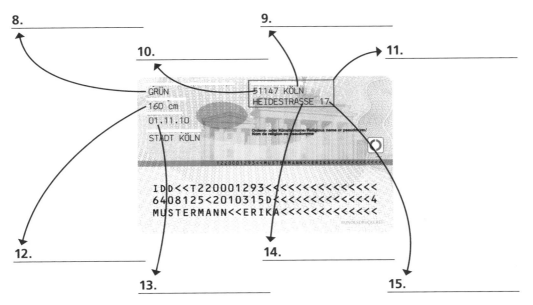

12. _____

13. _____

14. _____

15. _____

11. Lesen Sie noch einmal die Informationen in Übung **10**.
Ergänzen Sie dann die Sätze.

adressegroßaugengeburtstaggeborenheißtwohntgeburtsname

1. Sie _____ Erika Mustermann.

2. Ihr _____ (= *Mädchenname)* ist Gabler.

3. Sie wurde 1964 in Berlin _____.

4. Sie hat am 12. August _____.

5. Sie ist 1,60 m _____.

6. Sie hat grüne _____.

7. Sie _____ in Köln.

8. Ihre _____ (= *Anschrift)* ist Heidestraße 17.

ⓘ

Erika und Max Mustermann
Häufig verwendet man die Namen *Erika Mustermann* und *Max Mustermann* in Musterfor-
mularen und Vorlagen. Es sind Namen für fiktive Personen, sogenannte „Platzhalternamen".

12. Wie heißt der Gegensatz? Bilden Sie aus den Silben Adjektive und ordnen Sie sie
zu. Ergänzen Sie dann die Sätze.

RIG ▪ ~~GE~~ ▪ ~~SCHIE~~ ▪ BO ▪ LICH ▪ JÄH ▪ GE ▪ REN ▪ ~~DEN~~ ▪ VOLL ▪ WEIB

1. verheiratet ⟷ _geschieden_   **3.** männlich   ⟷ _____

2. minderjährig ⟷ _____   **4.** _____ ⟷ gestorben

a) Sag mal, bist du nicht vor Kurzem Tante geworden? – Ja! Ich habe jetzt eine Nichte.

Sie heißt Maja und ist am 4. März _____.

b) Unser neues Parfüm ist angenehm _____ mit einem leicht

blumigen Duft.

c) In Deutschland ist man mit 18 Jahren _____. Dann darf man z. B.

allein Auto fahren oder selbst eine Wohnung mieten.

d) Meine Eltern sind _____. Mein Vater wohnt hier, aber meine

Mutter wohnt in Dortmund.

Länder und Sprachen

13. Ordnen Sie die Länder aus der Wortschlange der Karte zu.

dieniederlandedeutschlandösterreichspanien

polenschwedenfrankreichdietürkeirussland

1. _____   2. _____   3. _____

4. _____

5. _____

6. _____

7. _____   8. _____   9. _____

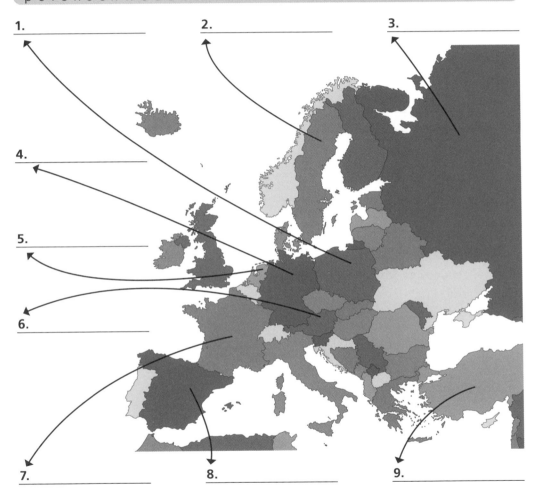

Ländernamen: Polen, Deutschland, die Schweiz
Im Deutschen haben die meisten Ländernamen keinen Artikel.
Manche Ländernamen aber stehen mit Artikel, z. B.:
▶ *die Schweiz, die Slowakei, die Türkei, die Ukraine*
▶ *der Irak, der Iran, der Libanon, der Sudan*
▶ *das Vereinigte Königreich*
▶ *die Niederlande, die USA, die Vereinigten Arabischen Emirate (Pl.)*

14. Eine Weltreise. Ordnen Sie die Länder und Kontinente in die Tabelle ein.
Achtung: Einige Ländernamen stehen mit Artikel!

Marokko • Schweiz • Kanada • Afrika • Japan • Brasilien • Norwegen •
Somalia • USA • Indien • Sudan • Afghanistan • Chile • Argentinien •
Rumänien • Europa

E_____	Nordamerika	Südamerika
A_____	Asien	Australien

15. Länder und ihre Sprachen. Ergänzen Sie die Sprachen. Hilfe finden Sie im Merkkasten.

1. Eine Person aus Deutschland spricht   _____.

2. Eine Person aus Griechenland spricht   _____.

3. Eine Person aus Portugal spricht   _____.

4. Eine Person aus den Niederlanden spricht _____.

5. Eine Person aus Tschechien spricht   _____.

6. Eine Person aus Bulgarien spricht   _____.

7. Eine Person aus Ungarn spricht   _____.

8. Eine Person aus Frankreich spricht   _____.

9. Eine Person aus Tunesien spricht   _____.

10. Eine Person aus Finnland spricht   _____.

Sprachen benennen: Arabisch, Russisch ...
Im Deutschen enden die meisten Bezeichnungen für Sprachen auf *-isch*, z. B.:
▶ Arab*isch*, Engl*isch*, Poln*isch*. (Aber: **Deutsch!**)

Informationen zur Person

16. Ergänzen Sie die Ländernamen und die passenden Adjektive.
Achtung: Einige Ländernamen stehen mit Artikel!

1. Albanien $\longrightarrow$ _____

2. _____ $\longleftarrow$ indisch

3. China $\longrightarrow$ _____

4. Kolumbien $\longrightarrow$ _____

5. _____ $\longleftarrow$ rumänisch

6. Syrien $\longrightarrow$ _____

7. _____ $\longleftarrow$ slowakisch

8. Pakistan $\longrightarrow$ _____

9. _____ $\longleftarrow$ kanadisch

10. Saudi-Arabien $\longrightarrow$ _____

11. _____ $\longleftarrow$ englisch

12. Kroatien $\longrightarrow$ _____

13. _____ $\longleftarrow$ ukrainisch

14. der Iran $\longrightarrow$ _____

15. _____ $\longleftarrow$ serbisch

16. Eritrea $\longrightarrow$ _____

17. Italien $\longrightarrow$ _____

18. Belgien $\longrightarrow$ _____

19. _____ $\longleftarrow$ dänisch

20. die Vereinigten Staaten (die USA) $\longrightarrow$ _____

21. _____ $\longleftarrow$ russisch

22. Afghanistan $\longrightarrow$ _____

23. _____ $\longleftarrow$ portugiesisch

24. Irak $\longrightarrow$ _____

25. _____ $\longleftarrow$ französisch

26. Lettland $\longrightarrow$ _____

17. Wie nennt man Männer und Frauen aus diesen Ländern?

1. Österreich   ein   _Österreicher_   eine   _Österreicherin_

2. Schweiz   ein _____   eine _____

3. Deutschland   ein _____   eine _____

4. Spanien   ein _____   eine _____

5. die Türkei   ein _____   eine _____

6. Libanon   ein _____   eine _____

7. Algerien   ein _____   eine _____

8. China   ein _____   eine _____

Nationalität: ein/der Türke, Bulgare, Brite, Russe, Chinese
Männliche Nationalitätenbezeichnungen mit der Endung *-e (ein/der Russe, Pole …)* gehören
zur *n*-Deklination: Sie haben in allen Fällen außer im Nominativ Singular die Endung *-(e)n*.
▶ Nom. *der Russe*, Gen. *des Russen*, Dat. *dem Russen*, Akk. *den Russen*, Pl. *die Russen*
(Aber: *der Deutsche / ein Deutscher!*)

Gefühle und Eigenschaften

18. Wie gehts? Ordnen Sie die Sätze in die Tabelle ein.

So lala. ▪ **Leider nicht gut.** ▪ **Gut, danke.** ▪ **Super!** ▪ **Sehr schlecht.** ▪
Na ja, geht so. ▪ **Mir geht es sehr gut.** ▪ **Es geht.** ▪ **Bestens!**

☺	☺	☹

19. Ergänzen Sie die Sätze.

**ehrlich • fröhlich • krank • neugierig • langweilig • verliebt • müde •
enttäuscht • aufgeregt**

1. Mein Kopf tut mir weh und ich friere; ich glaube, ich werde _____.

2. Ich habe neun Stunden geschlafen, aber ich bin immer noch sehr _____.

3. Ich habe den Job nicht bekommen; ich bin so _____.

4. Ich bin _____, weil ich morgen eine Prüfung habe.

5. Heute habe ich nichts zu tun; mir ist so _____.

6. Johanna lacht viel. Sie ist meistens _____, wenn ich sie sehe.

7. Meine Nachbarin sitzt den ganzen Tag am Fenster und will immer alles über andere
wissen; sie ist so _____.

8. Ich habe einen neuen Freund und bin total _____!

9. Manchmal bist du zu _____; du darfst nicht immer sagen, was du denkst.

20. Eigenschaften. Bilden Sie das Gegenteil der Adjektive mit *un-* oder *-los* oder
suchen Sie das passende Wort aus der Wortschlange.

faulfröhlichpassivruhiggroßaltklug

1. höflich   ⟷   _unhöflich_   **9.** pünktlich   ⟷ _____

2. dumm   ⟷ _____   **10.** humorvoll   ⟷ _____

3. fleißig   ⟷ _____   **11.** klein   ⟷ _____

4. kraftvoll   ⟷ _____   **12.** sympathisch   ⟷ _____

5. aktiv   ⟷ _____   **13.** fantasievoll   ⟷ _____

6. jung   ⟷ _____   **14.** nervös   ⟷ _____

7. ehrlich   ⟷ _____   **15.** zufrieden   ⟷ _____

8. respektvoll ⟷ _____   **16.** traurig   ⟷ _____

> *Gegenteile: sportlich ⟷ unsportlich, sinnvoll ⟷ sinnlos*
> Einige Adjektive bilden das Gegenteil mit der Vorsilbe *un-* oder mit der Endsilbe *-los*.

21. Ergänzen Sie die Sätze.

1. *Angst*   Petra ist manchmal sehr _____; sie fürchtet sich vor

allem.

2. *Trauer*   Warum bist du so _____ – ist etwas passiert?

3. *Ehrgeiz*   Dieser Schüler lernt viel und hat gute Noten. Er ist

_____.

4. *Wut*   Wenn sie _____ ist, gehe ich ihr lieber aus dem Weg.

5. *Rücksicht*   Er nimmt keine Rücksicht auf andere Menschen. Er ist

_____.

6. *Temperament*   Man sagt, dass die Südländer besonders leidenschaftlich und

_____ sind.

22. Ordnen Sie die positiven und die negativen Eigenschaften in die Tabelle ein.

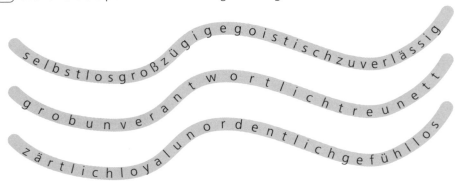

positive Eigenschaften	negative Eigenschaften

23. Idiomatische Personenbeschreibungen mit Tieren. Bilden Sie Komposita.

NACHT • RATTE • VOGEL • KANINCHEN • BÜCHER • PECH

1. Eine Person, die gerne bis spät in die Nacht wach ist: eine _____eule.

2. Eine Person, die sehr oft kein Glück hat: der _____vogel.

3. Eine Person, an der man etwas testet: ein Versuchs_____.

4. Eine Person, die oft andere zum Lachen bringt: der Spaß_____.

5. Eine Person, die sehr gern und sehr viele Bücher liest: der _____wurm

oder die Lese_____.

24. Wörter wiederholen: Lösen Sie das Kreuzworträtsel. Die meisten Wörter haben Sie in diesem Kapitel schon kennengelernt.

1. Diese Information muss auf dem Briefumschlag stehen, damit die Post beim Adressaten ankommt.
2. Ein anderes Wort für *schwach, schlapp* oder *müde.*
3. Wenn man früher verheiratet war, aber jetzt nicht mehr verheiratet ist.
4. Du bist kein Kind mehr; du bist schon …
5. Informationen zur Person wie Name, Adresse, Geburtsdatum.
6. Ein Dokument, das die Informationen zur Person enthält.
7. Das Gegenteil von *temperamentlos.*
8. Wenn etwas nicht so ist, wie man es erwartet hat, und man darüber traurig ist.

1.				S	C	H				
2.	K	R								
3.	G	E								
4.	E									
5.	P	E					E	N		
6.							I	S		
7.								L		
8.				T	Ä	U				

Lösungswort: _____

Körperteile und Aussehen

25. Der Körper. Ordnen Sie die Wörter den Bildern zu und ergänzen Sie die Artikel.

Fuß • Kopf • Auge • Nase • Mund • Bein • Ohr • Knie • Haare *(Pl.)* •
Hand • Finger • Arm • Bauch • Rücken • Zähne *(Pl.)*

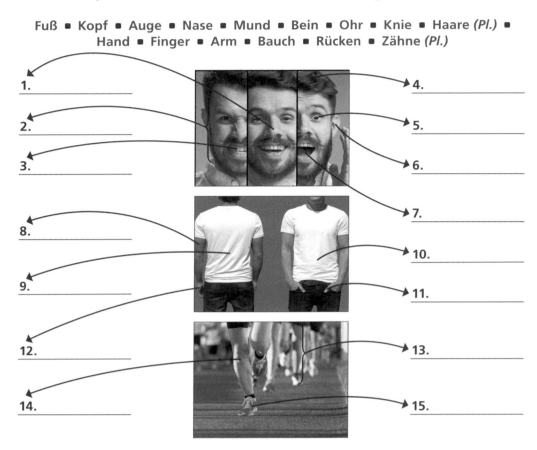

1. _____

2. _____

3. _____

8. _____

9. _____

12. _____

14. _____

4. _____

5. _____

6. _____

7. _____

10. _____

11. _____

13. _____

15. _____

26. Was macht man? Was macht man nicht? Ergänzen Sie die fehlenden Körperteile in den Regeln und achten Sie auf die richtige Form.

Mund • Finger • Auge • Hand *(2 x)*

1. Man zeigt nicht mit dem _____ auf Leute.

2. Man spricht nicht mit vollem _____.

3. Wenn man sich begrüßt, gibt man sich die _____.

4. Man soll nicht mit den Fingern oder den _____ essen –

es gibt aber Ausnahmen.

5. Prost! – Man soll sich in die _____ schauen.

27. Das Aussehen beschreiben. Finden Sie die Gegensätze in der Wortschlange und ergänzen Sie die Sätze.

kleinedünnehässlichkurzebreite
dunkleschlanktraurigesbraun

1. Nadja hat helle und Miriam hat _____ Augen.

2. Als Baby hatte ich blonde Haare; heute sind sie _____.

3. Einige Menschen haben eine schmale und andere eine _____ Nase.

4. Clara hat lange und Kai hat _____ Beine.

5. Meine Finger sind leider ziemlich dick. Wenn man Klavier spielt, sind

_____ Finger ein Vorteil.

6. Was ist schön und was ist _____? Da hat jeder eine andere Meinung.

7. Sarah hat große Hände; ihre Tochter Mila noch ganz _____.

8. Ich sehe, dass du nicht glücklich bist. Du machst ein _____ Gesicht.

9. Mario hat als Kind viel Sport gemacht und war sehr _____;

heute ist er eher kräftig.

28. Unser Körper im Detail. Ergänzen Sie die fehlenden Körperteile in den Erklärungen und achten Sie auf die richtige Form und die Artikel.

das Gesicht ▪ **das Herz** ▪ **die Haut** ▪ **der Nagel** ▪ **die Schulter** ▪
der Knochen ▪ **der Magen**

1. _____ schlägt und versorgt unseren Körper mit Blut.

2. _____ befinden sich auf beiden Seiten des Halses und verbinden

die Arme mit dem übrigen Körper.

3. Unser Skelett besteht aus _____. Sie können brechen.

4. _____ ist das Organ, das das Essen aufnimmt. Wenn man Hunger

hat, knurrt er.

5. _____ wachsen an unseren Fingern und Zehen; man schneidet sie.

6. Er hat eine sensible _____ und muss sie oft eincremen.

7. _____ ist die Vorderseite des Kopfes.

Körperpflege

29. Was macht man häufig? Schreiben Sie unter jedes Bild das passende Verb.

schminken ▪ abtrocknen ▪ waschen ▪ eincremen ▪ putzen ▪ duschen ▪ schneiden ▪ rasieren ▪ kämmen

  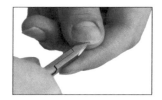

1. sich die Hände

2. sich die Haare

3. sich die Nägel

_____ _____ _____

4. sich die Zähne

5. sich das Gesicht

6. sich das Gesicht

_____ _____ _____

7. (sich) _____

8. sich _____

9. sich _____

Reflexive Verben: sich waschen, sich kämmen
Viele Verben im Bereich der Körperpflege sind reflexiv, z. B. **sich** waschen: *ich wasche* **mich**.
Achtung:
▶ *Ich wasche* **mich**.   ⟷   *Ich wasche* **mir** *die Hände.*
▶ *Ich rasiere* **mich**.   ⟷   *Ich rasiere* **mir** *die Beine.*

30. Sophias Morgenroutine. Ergänzen Sie die reflexiven Verben aus Übung **29**. Lesen Sie den Tipp auf Seite **22** und achten Sie auf die richtige Form.

Ich bin ein Morgenmuffel – ich stehe nicht gern auf. Zuerst koche ich Kaffee. Dann

_____dusche_____ ich _mich_ und _____ m_____ **(1)** das Gesicht. Ich

_____ m_____ ab **(2)** und _____ m_____ **(3)** die Haare.

Nach dem Frühstück _____ ich m_____ **(4)** die Zähne. Ich hole mein

Make-up und _____ m_____ **(5)**. Wenn ich etwas mehr Zeit habe,

_____ ich m_____ **(6)** die Beine, _____ m_____ **(7)** ein

und _____ m_____ **(8)** die Fingernägel. Fertig!

31. Kosmetik. Setzen Sie die Wörter aus der Wortschlange ein.

bürstehandtuchseifefriseurföhnscherekammcremezahnpasta

1. Ich putze mir die Zähne. Ich brauche eine Zahnbürste und _____.

2. Ich trockne mich ab. Ich brauche ein _____.

3. Ich schneide mir die Fingernägel. Ich brauche eine _____.

4. Mein Haare sind durcheinander. Ich brauche einen _____ oder eine

_____.

5. Ich wasche mir die Hände mit _____.

6. Meine Haare sind zu lang. Ich muss zum _____.

7. Ich will mir die Haare trocknen. Ich brauche einen _____.

8. Meine Haut ist ganz trocken. Ich brauche eine _____.

Drogerie
Kosmetikartikel wie Shampoo, Seife und Make-up sowie Produkte zum Putzen und Waschen kauft man oft in einer Drogerie. Viele Artikel bekommt man auch im Supermarkt, aber das Sortiment in einer Drogerie ist größer. In einer Drogerie werden auch einige Medikamente verkauft, aber keine, die der Arzt verschreiben muss. Regional gibt es verschiedene Ketten von Drogeriemärkten.

Körper und Sinne

32. Ordnen Sie die Verben den richtigen Körperteilen zu.

**küssen ▪ zusehen ▪ atmen *(2x)* ▪ gehen ▪ sehen ▪ trinken ▪ schreiben ▪
riechen ▪ lesen ▪ ansehen ▪ fühlen ▪ winken ▪ anfassen ▪ schmecken ▪
laufen ▪ zuhören ▪ tasten ▪ hören**

1. mit der Nase: _____

2. mit den Augen: _____

3. mit den Händen: _____

4. mit dem Mund: _____

5. mit den Beinen: _____

6. mit den Ohren: _____

33. Ergänzen Sie die Sätze mit Verben aus Übung **32** und achten Sie auf die richtige
Form. Ein Verb kommt zweimal vor.

1. (Auf einer Konferenz:) Was hat er gerade gesagt? – Ich weiß nicht, ich habe ihm nicht

genau _____.

2. Beeil dich bitte. – Mein Fuß tut weh, ich kann nicht schnell _____.

3. Ich habe gerade die Milch probiert; sie _____ sauer. – Vielleicht ist sie

nicht mehr gut?

4. Hier stinkt es! – Findest du? Es _____ doch nur nach Zwiebeln.

5. (Im Zug:) Ich sehe Sven nicht mehr. – Er steht doch am Gleis und _____.

Siehst du ihn wirklich nicht?

6. Ich hatte mir letztes Jahr zwei Finger gebrochen und konnte einen Monat lang nicht

richtig am Computer _____.

7. Wie _____ dir der Salat? – Es fehlt noch etwas Salz.

8. Wenn es kalt ist, sollte man nicht durch den Mund, sondern durch die Nase

_____.

9. Uwe und Lisa sind frisch verliebt; gestern haben sie sich zum ersten Mal

_____.

34. Sehen, hören und anfassen. Wie kann der Satz oder der Dialog weitergehen?
Es gibt immer zwei richtige Lösungen.

1. (Nachts auf der Straße:) „Was war das?
Schreit da jemand?" –
  ○ **a)** „Was? Ich habe nichts gehört."
  ○ **b)** „Was? Das habe ich mir nicht
    angehört."
  ○ **c)** „Wie bitte? Ich habe nicht
    zugehört."

2. (Im Museum:) Die Angestellte sagt:
„Das Bild ist ein Original;
  ○ **a)** bitte nicht anfassen."
  ○ **b)** bitte nicht fühlen."
  ○ **c)** bitte nicht berühren."

3. (Im Schmuckgeschäft:) „Die Kette
dahinten ist sehr schön;
  ○ **a)** darf ich sie mir ansehen?"
  ○ **b)** darf ich sie sehen?"
  ○ **c)** darf ich zusehen?"

4. „Heute Abend läuft ein guter Film;
  ○ **a)** wollen wir ihn uns ansehen?"
  ○ **b)** wollen wir ihn uns anschauen?"
  ○ **c)** wollen wir ihm zuschauen?"

5. „Heute Abend? Da kann ich nicht.
Das habe ich dir doch gesagt;
  ○ **a)** kannst du nicht einmal hören?"
  ○ **b)** hörst du mir nicht zu?"
  ○ **c)** hast du wieder nicht hingehört?"

6. „Hast du das Lied *Im Sommer*?
  ○ **a)** Ich möchte es mir gern anhören."
  ○ **b)** Ich möchte gern zuhören."
  ○ **c)** Ich möchte es gern hören."

35. Welches Wort passt nicht in die Reihe?

1. kräftig – dick – rund – müde – mollig

2. attraktiv – hübsch – verliebt – gut aussehend – schön

3. Beine – Füße – Knie – Zehen – Finger – Zehennägel

4. hören – sehen – atmen – riechen – tasten – schmecken

5. sich waschen – sich verletzen – sich rasieren – sich kämmen

6. Rasierapparat – Zahnpasta – Gesichtscreme – Deo – Shampoo

7. Bürste – Föhn – Schere – Kamm – Schminke

8. Gesicht – Mund – Knie – Auge – Ohr

9. blond – schwarz – weiß – hell – traurig – braun

10. Bein – Schulter – Handschuh – Finger – Hand

36. Wörter wiederholen: Ergänzen Sie das Mindmap zum Wortfeld *Körper und Körperpflege*. Sie haben alle Wörter in diesem Kapitel schon kennengelernt.

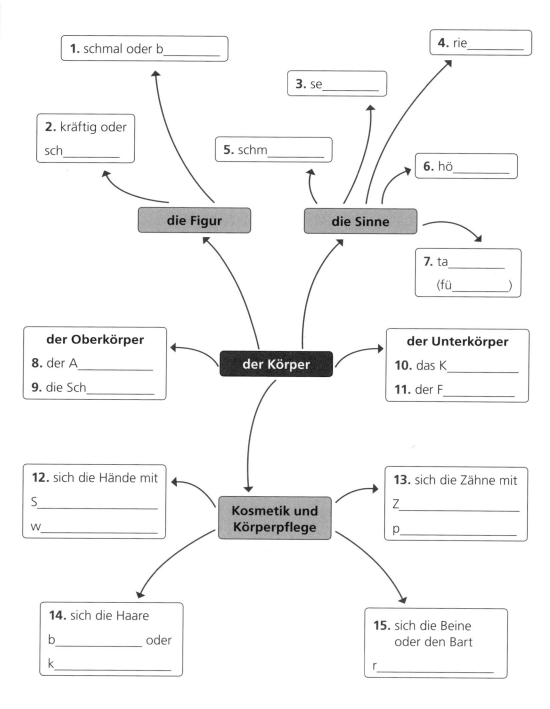

1. schmal oder b_____

4. rie_____

3. se_____

2. kräftig oder sch_____

5. schm_____

6. hö_____

die Figur

die Sinne

7. ta_____ (fü_____)

der Oberkörper

8. der A_____

9. die Sch_____

der Körper

der Unterkörper

10. das K_____

11. der F_____

12. sich die Hände mit

S_____

w_____

Kosmetik und Körperpflege

13. sich die Zähne mit

Z_____

p_____

14. sich die Haare

b_____ oder

k_____

15. sich die Beine oder den Bart

r_____

Gesundheit und Krankheit

37. Wortfeld Krankheit. Welches Wort passt nicht in die Reihe?

1. *Fieber*   hoch – Temperatur – tief – messen

2. *Schnupfen*   niesen – Bauchschmerzen – Taschentuch – Gesundheit!

3. *Arztpraxis*   Sprechstunde – Diät – Wartezimmer – Gesundheitskarte

4. *krank*   schlecht – schwach – nicht gut – versichert

5. *gebrochen*   Hand – Mund – Knochen – Fuß – Nase

6. *Zahnarzt*   Zahnschmerzen – Schulter – Patientin – Termin

38. Mia ist krank. Ergänzen Sie den Dialog.

krank ▪ Fieber ▪ Besserung ▪ weh ▪ heiß ▪ tun ▪ hoch ▪ Arzt ▪ mir ▪ besser ▪ schlecht ▪ Kopfschmerzen

💬 Hallo, Emil, ich kann heute leider nicht kommen. _____ **(1)** geht es

_____ **(2)**.

🗨 Hallo, Mia, was ist denn los?

💬 Ich bin _____ **(3)**. Ich habe starke _____ **(4)** und

muss immer husten.

🗨 Ach, Mia, das tut mir leid. Hast du auch _____ **(5)**?

💬 Ja, leider! Mir ist so _____ **(6)**.

🗨 Das ist nicht gut. Weißt du, wie _____ **(7)** es ist?

Hast du ein Thermometer?

💬 Ja, 39 Grad. Und mein Hals tut so _____ **(8)**.

🗨 Das kenne ich. Bei mir _____ **(9)** außerdem immer die Arme und Beine

weh.

💬 Ja, genau. Wenn es morgen nicht _____ **(10)** ist, gehe ich zum

_____ **(11)**.

🗨 Ja, mach das. Gute _____ **(12)**! Ich rufe dich morgen an.

💬 Danke!

39. Beim Arzt: Gespräch mit der Sprechstundenhilfe. Was sagt Mia? Ergänzen Sie den Dialog.

Ja, hier, bitte. ▪ **Ja, vor drei oder vier Monaten.** ▪ **Wie lange?** ▪
Nein, leider nicht. ▪ **Ich habe eine starke Erkältung und Fieber.**

💬 Guten Morgen! Ich bin Mia Klatz. _____

_____ **(1)** Kann ich bitte Herrn Dr. Weigert sehen?

◯ Haben Sie einen Termin?

💬 _____ **(2)**

◯ Dann müssen Sie aber warten; es ist heute sehr voll.

💬 _____ **(3)**

◯ Das kann ich nicht sagen. Vielleicht eine Stunde.

💬 Okay, danke.

◯ Waren Sie schon einmal hier?

💬 _____ **(4)**

◯ Ah, ich habe Sie gefunden. Richtig, im letzten Quartal waren Sie da. Haben Sie Ihre

Gesundheitskarte dabei?

💬 _____ **(5)**

◯ Danke. Setzen Sie sich bitte ins Wartezimmer? Wir rufen Sie auf.

💬 Gut, das mache ich.

40. Ich bin krank. Ergänzen Sie die Sätze.

Unfall ▪ **Erkältung** ▪ **bleiben** ▪ **Fieber** ▪ **Wunde** ▪ **Medikament** ▪ **Schnupfen**

1. Mein Hals tut weh und ich habe Husten. Ich habe eine _____.

2. Hatschi. – Gesundheit! Hast du _____ oder eine Allergie?

3. Oh nein, was ist passiert? Du hast ja einen Gips. – Wir hatten einen

_____.

4. Sie haben 39,3 Grad _____. Sie müssen im Bett _____.

5. Er ist aufs Knie gefallen und hat eine blutende _____.

6. Kann ich dir ein Glas Wein anbieten? – Danke, aber ich darf im Moment keinen

Alkohol trinken, weil ich ein _____ einnehme.

41. Gute Besserung! Was brauche ich? Ordnen Sie die Wörter den Bildern zu und ergänzen Sie die Artikel.

hustensaftpflastertablettentropfenmedikamentesalbe

1. _____

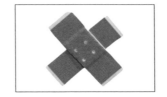

2. _____

3. _____

4. _____

5. _____

6. _____

42. Was macht der Arzt / die Ärztin (A), was der Patient / die Patientin (P)? Kreuzen Sie an.

	A	P
1. jemanden krankschreiben		
2. im Wartezimmer warten		
3. jemanden untersuchen		
4. jemanden operieren		
5. Tabletten nehmen		
6. im Bett bleiben		
7. einen Ratschlag geben		
8. zur Apotheke gehen		
9. ein Rezept schreiben		
10. ein Medikament verschreiben		

43. Was sagt der Arzt / die Ärztin (A), was der Patient / die Patientin (P)?
Kreuzen Sie an.

	A	P
1. Nehmen Sie diese Tabletten morgens.		
2. Ich fühle mich nicht gut.		
3. Ich habe seit drei Tagen Kopfschmerzen.		
4. Wie lange muss ich im Bett bleiben?		
5. Was fehlt Ihnen denn?		
6. Ich schreibe Sie für vier Tage krank.		
7. Ich habe Zahnschmerzen.		
8. Bleiben Sie bitte im Bett.		
9. Mein Bauch tut so weh.		
10. Gute Besserung!		
11. Wo haben Sie Schmerzen?		
12. Wie oft muss ich das Medikament nehmen?		
13. Was tut Ihnen weh?		
14. Trinken Sie viel.		
15. Ich schreibe Ihnen ein Rezept.		

44. Wie geht es dir? Ergänzen Sie den passenden Gegensatz.

schlimm • erschöpft • ruhig • aufgeregt • schwach • schlecht • satt

1. Dorothee geht es nicht *gut*. Es geht ihr _____.

2. Sabine war lange krank. Sie fühlt sich nicht *stark*. Sie fühlt sich _____.

3. Du siehst nicht so *fit* aus! Du hast recht: Ich habe den ganzen Tag gearbeitet und bin jetzt völlig _____.

4. Michael ist nicht *hungrig*. Er ist _____.

5. Nils, bist du nicht *nervös*? – Nein, warum? Ich bin ganz _____.

6. Ich bin vor Prüfungen immer sehr *entspannt*. – Wirklich? Ich bin immer _____.

7. Es geht ihm nicht *gut*, oder? – Mach dir keine Sorgen, es ist nicht so _____.

45. Tipps für ein gesundes Leben. Ergänzen Sie den Newsletter und achten Sie auf die richtige Form.

**positiv • schlafen • spazieren • treiben • Ernährung • fett •
ungesund • Süßigkeiten • körperlich • Vitamine • stressig**

Liebe Kundinnen und Kunden,

es ist so weit: Ihr monatlicher Newsletter zum Thema Gesundheit ist wieder da. [...]

Hier unsere Tipps:

- Achten Sie auf eine gesunde _____ **(1)**.
- Essen Sie regelmäßig Obst und Gemüse; Ihr Körper braucht viele

  _____ **(2)**.
- Nehmen Sie weniger _____ **(3)** Essen wie Schweinebraten und

  Sahne und weniger _____ **(4)** wie Bonbons und Schokolade

  zu sich. Zu viel davon ist _____ **(5)**.
- _____ **(6)** Aktivität ist gut für das Immunsystem: Gehen Sie

  viel _____ **(7)** und versuchen Sie, mindestens zweimal pro Woche

  Sport zu _____ **(8)**.
- Trinken Sie genug.
- Der Alltag kann so _____ **(9)** sein! Machen Sie öfter mal eine Pause

  und _____ **(10)** Sie mindestens sieben Stunden pro Tag.
- Und natürlich: Denken Sie _____ **(11)**!

Kennen Sie eigentlich unser großes Sortiment an Kräutertees? Besuchen Sie unsere

Internetseite und informieren Sie sich.

Ihre Onlineapotheke

Bedeutungsunterschiede: ungesund, krank
Das Adjektiv *gesund* hat zwei Gegenteile.
Wenn ein Mensch nicht gesund ist, ist er **krank:**
▶ *Sarah hat eine Erkältung, sie ist **krank.** Hoffentlich ist sie nächste Woche wieder **gesund.***
Wenn etwas nicht gut für die Gesundheit ist, ist es ungesund:
▶ *Zu viel Alkohol und Rauchen sind **ungesund.** Obst und Gemüse sind **gesund.***

46. Bilden Sie die Verben zu den Nomen und achten Sie auf die richtige Form.

1. *das Blut*　　　　　Er hatte einen Unfall und _____ jetzt stark.

2. *der Husten*　　　　Frau Fries kann kaum sprechen; sie muss die ganze Zeit

　　　　　　　　　　_____.

3. *die Erkältung*　　　Ich war gestern ohne Mütze und Schal draußen. Ich habe mich

　　　　　　　　　　_____.

4. *die Untersuchung*　Die Ärztin _____ mich.

5. *die Verletzung*　　Vorsicht! _____ dich nicht.

6. *die Verbrennung*　Der Ofen ist heiß. Man kann sich leicht _____.

7. *die Rettung*　　　Der Notarzt _____ jeden Tag viele Leben.

47. Ergänzen Sie die Sätze und achten Sie auf die richtige Form.

bluten • **einnehmen** • **brechen** • **(sich) erkälten** • **(sich) erholen** •
schwitzen • **operieren** • **(sich) schneiden** • **(sich) verbrennen** • **messen** •
verschreiben • **(sich) wehtun** • **pflegen**

1. Autsch. Ich habe mich _____; dieses Messer ist sehr scharf.

2. Wo hast du dir _____?

3. Ben hat sich am Herd _____.

4. Ich habe alle Medikamente _____.

5. Herr Baier kann leider nicht kommen. Er hat sich _____.

6. Ich _____ sehr stark; wahrscheinlich habe ich Fieber.

7. Hast du schon Fieber _____?

8. Die Ärztin hat mir diese Tabletten _____.

9. Er muss sich am Magen _____ lassen.

10. Herr Müller _____ seit zwei Jahren seine kranke Frau.

11. Er hat so stark _____, dass er ins Krankenhaus musste.

12. Sie hat sich von der Operation gut _____.

13. Nach dem Mittagessen war mir furchtbar schlecht; später habe ich

　　　　_____.

48. Ergänzen Sie die Entschuldigung und achten Sie auf die richtige Form.

Kinderarzt ▪ Entschuldigung ▪ krankschreiben ▪ kommen ▪ Unfall ▪ (sich) verletzen ▪ Sehr geehrter

_____ **(1)**

_____ **(2)** Herr Menz,

leider kann unsere Tochter Lena diese Woche nicht zur Schule

_____ **(3)**. Gestern hatte sie einen _____ **(4)** mit

dem Fahrrad und hat sich am Arm _____ **(5)**. Unser

_____ **(6)** hat Lena für eine Woche _____ **(7)**.

Ich bitte, ihr Fehlen zu entschuldigen.

Mit freundlichem Gruß

Mario Belzig

49. Wortfeld _Krankenhaus_. Bilden Sie Komposita und ergänzen Sie die Sätze.

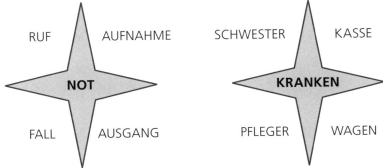

RUF   AUFNAHME   SCHWESTER   KASSE

NOT   **KRANKEN**

FALL   AUSGANG   PFLEGER   WAGEN

1. Herr Klausen arbeitet im Krankenhaus als Kranken_____.

2. In der Not_____ werden alle dringenden Fälle behandelt.

3. Bei welcher Kranken_____ sind Sie versichert?

4. Der Not_____ in Deutschland hat die Nummer 110.

5. Die Kranken_____ wird Ihnen die Medikamente geben.

6. Auf dem Plan steht, wo der Not_____ ist.

7. Ein Not_____ ist eine Situation, in der man schnell Hilfe braucht.

8. Hörst du die Sirene? Da kommt ein Kranken_____. Fahr an den Rand.

Meine Familie

50. Wer ist auf dem Foto? Ergänzen Sie die Dialoge.

Bruder • Eltern • Mann • Mutter • Schwester • Tochter

💬 Das ist also deine Familie, Lena?

💭 Ja, das hier ist mein _____ **(1)**,
und hier vorn siehst du unsere beiden
Kinder; unsere _____ **(2)** ist 11,
und unser Sohn ist 9.

💬 Ihr seid ein wirklich hübsches Paar!
Und sind das rechts auf dem Bild deine
_____ **(3)** und dein Vater?

💭 Ja, das sind meine _____ **(4)**.

💬 Wo bist du auf diesem Foto?

💭 Ich bin hier ganz links – damals war
ich wohl 8 oder 9 Jahre alt.
Und das Mädchen neben mir ist meine
ältere _____ **(5)**.

💬 Und die drei Jungen?

💭 Der ganz rechts ist mein jüngerer
_____ **(6)**, die anderen
beiden sind unsere Cousins.

51. Mutter und Vater, Bruder und Schwester … Ergänzen Sie.

Großmutter • Mädchen • Ehefrau • Mama • Onkel

1. Sie hat zwei Kinder: ein _____ und einen Jungen.

2. Wir wollen auch die Partnerinnen und Partner einladen: die _____ von
Herrn Kröger und den Ehemann von Frau Fischer.

3. Grüßen Sie Ihren _____ und Ihre Tante ganz herzlich von mir.

4. _____ und Großvater nennt man in der Familie oft auch „Oma"
und „Opa"; Mutter und Vater nennt man „_____" und „Papa".

Familie, Freunde, Kontakte

52. Wer ist wer? Ergänzen Sie die Kästchen.

Bruder • Geschwister • Großvater • Schwiegermutter • Vater

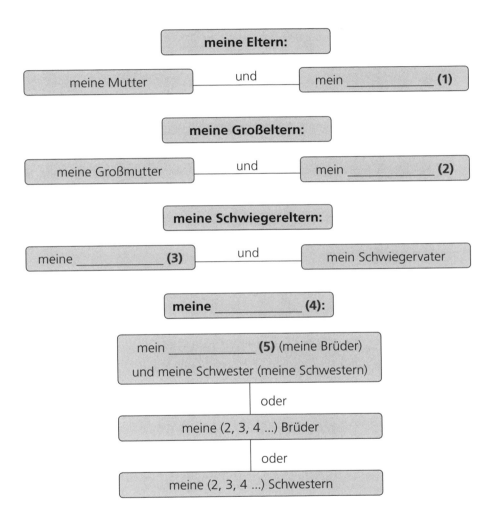

meine Eltern:

meine Mutter — und — mein _____ **(1)**

meine Großeltern:

meine Großmutter — und — mein _____ **(2)**

meine Schwiegereltern:

meine _____ **(3)** — und — mein Schwiegervater

meine _____ (4):

mein _____ **(5)** (meine Brüder)
und meine Schwester (meine Schwestern)

oder

meine (2, 3, 4 …) Brüder

oder

meine (2, 3, 4 …) Schwestern

Familienmitglieder: Genus und Plural
▶ die *Schwester* – Pl. die *Schwestern*
▶ der *Bruder* – Pl. die *Brüder*
▶ die *Mutter* (die *Groß*mutter, die Schwieger*mutter*) – Pl. die *Mütter* (die *Groß*mütter …)
▶ der *Vater* (der *Groß*vater, der Schwieger*vater*) – Pl. die *Väter* (die *Groß*väter …)
▶ die *Geschwister*, die *Eltern* (Groß*eltern*, Schwieger*eltern*):
  Es gibt nur die Pluralform!

53. Verwandte. Ergänzen Sie die Sätze mit den Wörtern aus der Wortschlange.

cousinsnichtenschwiegermutterenkelin

schwägerinnenschwiegersohnenkelkinder

1. Ist das deine Mutter? – Nein, das ist meine _____, die Mutter meiner Frau.

2. Ich habe viele Onkel und Tanten, Cousinen und _____. – Tatsächlich?
Ich habe nur ganz wenige Verwandte.

3. Wollen wir auch deine Neffen und deine _____ einladen? – Nein, nur den
engsten Familienkreis.

4. Meine Großeltern haben sechs Kinder großgezogen. – Dann haben sie bestimmt auch
viele _____.

5. Woher kennst du die beiden Damen dahinten am Tisch? – Das sind meine
_____; die ältere und die jüngere Schwester meines Mannes.

6. Wie findest du den Mann deiner Tochter? – Ganz toll! So einen
_____ würde sich jede Mutter wünschen.

7. Wie heißen deine Enkelkinder? – Meine _____ heißt Maria und mein Enkel
heißt Jan.

54. Eine Patchworkfamilie. Ergänzen Sie den Dialog.

Ehe • Exmann • Partner • geschieden • getrennt

○ Inge hat uns gestern ihren neuen _____ **(1)** vorgestellt.

● Wie, hat sie sich denn von ihrem Mann _____ **(2)**?

○ Ja, sie sind schon seit zwei Jahren _____ **(3)**.

● Und die Kinder?

○ Die Kinder bleiben bei Inge; sie ziehen bald alle zusammen: der neue Mann, seine
zwei Kinder aus der ersten _____ **(4)**, Inge und ihre Söhne.

● Und ihr _____ **(5)**?

○ Er hat jetzt einen Freund, sie leben in Berlin.

Familie, Freunde, Kontakte

55. Lebensphasen. Bilden Sie Nomen aus diesen Verben.

1. *sich trennen*   Meine Schwester hat sich von ihrem Mann getrennt. Seit der

_____ lebt sie wieder bei uns in Wiesbaden.

2. *sich scheiden lassen*   Meine Eltern sind geschieden. Nach der _____ ist

mein Vater mit seiner neuen Partnerin nach Hannover gezogen.

3. *sich verloben*   Petra und Marcus werden heiraten. Sie wollen

am Samstag ihre _____ mit einigen Freunden

feiern.

4. *heiraten*   Seit ihrer _____ meldet sich Christina kaum noch

bei uns.

5. *geboren werden*   Die _____ unserer Tochter hat unser

ganzes Leben verändert.

6. *verwandt sein*   Meine _____ leben alle in der Türkei.

7. *erziehen*   In diesem Buch findet man viele gute Tipps zur

_____ von Kindern.

Ein Verwandter, die Verwandten
Nomen, die man aus *verwandt* und *bekannt* bildet, dekliniert man wie Adjektive, z. B.
▶ *ein Verwandter/Bekannter (~ ein bekannter Mann), eine Verwandte/Bekannte*
▶ *Ich habe Verwandte/Bekannte in der Türkei.*
▶ *Ich habe einige/viele Verwandte/Bekannte in der Türkei.*
▶ *Die/meine/deine Verwandten leben in der Türkei.*

56. Verwandte. Bilden Sie die feminine Form.

1. der Großvater $\longrightarrow$ die _____

2. der Halbbruder $\longrightarrow$ die _____

3. der Schwiegersohn $\longrightarrow$ die _____

4. der Schwager $\longrightarrow$ die _____

5. der Schwiegervater $\longrightarrow$ die _____

6. der Neffe $\longrightarrow$ die _____

7. der Enkel $\longrightarrow$ die _____

Freunde, Kollegen, Nachbarn

57. Über Freunde und Bekannte sprechen. Ergänzen Sie die Sätze und achten Sie auf die richtige Form.

kennen ▪ kennenlernen ▪ Freund ▪ Freundin ▪ Bekannte ▪ sympathisch

💬 Wer ist auf dem Foto?

💭 In der Mitte ist Susanne; sie ist meine beste _____ **(1)**.

💬 Wie lange kennt ihr euch schon?

💭 Sehr, sehr lange: Wir haben uns im Kindergarten _____ **(2)**.

💬 Und der junge Mann links von ihr?

💭 Das ist ein _____ **(3)** von Susanne. Ich _____ **(4)** ihn nicht

gut, aber ich finde ihn sehr _____ **(5)**.

💬 Und die Frau rechts von Susanne?

💭 Eine _____ **(6)** von mir. Wir haben uns vor einigen Monaten mal auf

einer Party kennengelernt und uns letzte Woche wiedergesehen.

58. Wie lautet die maskuline bzw. die feminine Form?

1. ein alter _____ ⟵ eine alte Freundin

2. ein guter _____ ⟵ eine gute Bekannte

3. ein neuer Nachbar ⟶ eine neue _____

4. ein netter _____ ⟵ eine nette Kollegin

5. ein junger Partner ⟶ eine junge _____

59. Setzen Sie die Wörter in der richtigen Form ein.

gefallen *(2x)* ▪ **mögen** ▪ **sehen** ▪ **freundlich** ▪ **unfreundlich**

Wie _____ **(1)** euch unsere neue Nachbarin?

Ich _____ **(2)** sie. Sie wirkt sehr sympathisch.

Mir _____ **(3)** sie auch gut. Sie ist sehr nett und höflich.

Ich finde sie eher _____ **(4)**. Sie grüßt nie.

Das stimmt nicht; sie grüßt mich immer sehr _____ **(5)**.

Haben wir eine neue Nachbarin? Ich habe sie noch nie _____ **(6)**.

60. Duzen oder siezen? Ergänzen Sie die Dialoge. Sie können ein Wort mehrmals benutzen.

duzen *(3x)* ▪ siezen *(3x)* ▪ Du *(3x)* ▪ Sie *(2x)*

1. Frau Imker, wir kennen uns jetzt schon lange, darf ich Ihnen das _____ anbieten? – Gern.

2. Ich freue mich, Sie kennenzulernen, mein Name ist Monique Dupont. – Freut mich sehr! Aber wir können uns gern auch _____. Wir sind hier alle per Du.

3. Mein Chef hat mir heute das _____ angeboten. Aber ich würde ihn lieber weiterhin _____. Ich habe ihn jahrelang „Herr Fischer" genannt, wie soll ich jetzt einfach „Paul" zu ihm sagen? – Keine Sorge, du wirst dich schon daran gewöhnen. Auch ich bin mit meinem Chef und mit allen Kollegen per _____.

4. Komisch, wir haben uns immer geduzt und jetzt _____ er mich plötzlich! – Vielleicht hat er vergessen, dass ihr euch _____? Ihr habt euch lange nicht gesehen.

5. In meinem Land sollte man zu Unbekannten, Vorgesetzten und älteren Personen immer _____ sagen, das ist höflich. – In *meinem* Land ist es nicht so; in informellen Situationen _____ man sich oft.

6. Bist du mit deinen Studierenden per Du oder per _____? – Wir _____ uns alle. Ich finde, es ist besser, ein bisschen Distanz zu halten.

61. Unser Verein. Suchen Sie Wörter oder Sätze mit ähnlicher Bedeutung

**Nachbarn für Nachbarn –
machen Sie mit!**

Kennen Sie schon unseren neuen **Verein (1)**
„Nachbarn für Nachbarn"?

Unsere Vereinsmitglieder **pflegen Kontakte (2)** zu
vielen verschiedenen Menschen in der Nachbarschaft –
aus allen Generationen.

Hier hilft jeder jedem und wir haben viel Spaß dabei!
Suchen Sie Menschen mit gleichen Hobbys? Wollen Sie
Bücher verschenken oder für Seniorinnen und Senioren
einkaufen? Wenn Sie **mitmachen (3)** und mit neuen
Menschen **Bekanntschaft machen (4)** wollen, dann
treten Sie unserem Verein **bei (5)**!

Auf unseren **Versammlungen (6)** lösen wir alle
Aufgaben und Probleme **gemeinsam (7)**; wir sind ein
gutes **Team (8)** und **vertrauen (9)** einander.

Sie haben Fragen? Für weitere **Auskünfte (10)**
kontaktieren Sie uns über unsere Website:

www.nachbarn-für-nachbarn-ksw.de

a) Treffen, Besprechungen

b) kommunizieren mit,
sich treffen mit

c) teilnehmen, sich beteiligen

d) zusammen

e) Mitglied werden

f) Gruppe

g) jemandem glauben,
sich auf jemanden verlassen

h) kennenlernen

i) Informationen

j) Klub

62. Bilden Sie Wörter auf *-schaft, -keit* und *-ie*.

1. *Freund*   Unsere _____ ist mir sehr wichtig.

2. *unhöflich*   Ich ärgere mich immer wieder über seine _____.

3. *sympathisch* Ich habe große _____ für ihn.

4. *persönlich*   Er hat eine starke _____.

5. *Nachbar*   In unserer _____ gibt es viele Kinder.

6. *Partner*   In einer _____ muss man manchmal

Kompromisse machen.

7. *fröhlich*   Was ist der Grund für deine _____?

Liebesbeziehungen

63. Ergänzen Sie die Minidialoge und achten Sie auf die richtige Form.

Freundin ▪ küssen ▪ sich verlieben ▪ Sex ▪ ledig ▪ lieben ▪ zusammenleben

1. Wie geht es Andreas? – Ich glaube, er hat eine neue _____.

2. Lebt ihr immer noch getrennt? – Ja, leider. Wir würden gern _____,

aber das geht nicht, weil wir in verschiedenen Städten arbeiten.

3. Ich _____ dich. – Ich dich auch.

4. Kann ich dich _____? – Ja, aber nicht hier, alle sehen uns zu!

5. Was ist mit ihm los? Er ist so fröhlich. – Ich glaube, er hat _____ in

seine Zahnärztin _____.

6. Worum geht es in dem Film? – Es geht um einen Mann, der nur an

_____ denkt.

7. Dein Kollege sieht wirklich gut aus. Ist er verheiratet? – Nein, er ist noch

_____, aber er hat eine Partnerin.

64. In einer Beziehung. Welche Sätze passen zu den Bildern?

Sie umarmen sich. ▪ Sie streiten sich. ▪ Sie küssen sich. ▪ Sie halten Händchen.

1. _____

2. _____

3. _____

4. _____

65. Partnerschaft. Welches Wort passt nicht?

1. jemanden (jmdn.) küssen – jmdn. einladen – jmdn. umarmen – mit jmdm. schlafen

2. heterosexuell – homosexuell – gay – lesbisch – schwul – apolitisch – bisexuell

3. Spirale – Diaphragma – Pille – Medikament – Präservativ – Gummi – Kondom

4. Freundin – Partnerin – Exfreundin – Liebhaberin – Lieblingsschauspielerin

Einladungen, Verabredungen, Besuche

66. Was passt zu welchem Bild? Ordnen Sie zu.

**Einladung • Geburtstagsfeier • einen Freund besuchen • Grillparty •
auf jemanden warten • jemandem etwas schenken •
Besuch im Krankenhaus • Termin • Picknick**

1. _____

2. _____

3. _____

4. _____

5. _____

6. _____

7. _____

8. _____

9. _____

67. Eine Einladung. Ergänzen Sie die E-Mails.

danke ▪ mitbringen ▪ gern ▪ feiern ▪ kommen ▪ Einladung ▪ Geschenk ▪ Idee

Von: barbara22@mailforyou.com
An: Maike32@mailforyou.com; Boris45@mailforyou.com
Betreff: Einladung zur Party

Liebe Maike, lieber Boris,
ich habe letzte Woche meine letzte Prüfung bestanden – jetzt habe ich offiziell meinen

Master in Anglistik! Das will ich mit ein paar Freunden _____ **(1)**. Habt

ihr beiden Lust, am Freitag um 20 Uhr zu meiner Party zu _____ **(2)**?

Viele Grüße
Barbara

Von: Maike32@mailforyou.com
An: barbara22@mailforyou.com; Boris45@mailforyou.com
Betreff: Re: Einladung zur Party

Hallo Barbara,
herzlichen Glückwunsch und _____ **(3)** für die Einladung! Ich komme

_____ **(4)** zu deiner Party. Allerdings kann ich erst gegen halb neun da

sein, weil ich arbeite. Ich freue mich schon!

Liebe Grüße
Maike

Von: Boris45@mailforyou.com
An: barbara22@mailforyou.com; Maike32@mailforyou.com
Betreff: Re: Einladung zur Party

Hallo Barbara,
ich werde sehr gern zu deiner Feier kommen, danke für die _____ **(5)**!

Was soll ich _____ **(6)**?

Bis Freitag!
Boris

Von: Maike32@mailforyou.com
An: Boris45@mailforyou.com
Betreff: Gemeinsames Geschenk für Barbara?

Hallo Boris,
hast du schon ein _____ **(7)** für Barbara? Wenn nicht: Wollen wir ihr

zusammen etwas schenken? Hast du eine _____ **(8)**?

Maike

68. Eine Grillparty. Ergänzen Sie den Dialog und denken Sie an die richtige Form.

einladen • kommen • mitbringen • organisieren • sprechen • trinken • wissen

💬 Ich will am Samstag eine Grillparty bei mir im Garten _____ **(1)** und

möchte auch dich und Silke _____ **(2)**.

💬 Eine tolle Idee, danke für die Einladung! Ich rufe jetzt Silke an, denn ich

_____ **(3)** nicht, ob wir für den Samstag schon etwas geplant haben.

Dann sage ich dir, ob wir _____ **(4)** können. Wann ungefähr?

💬 So gegen 16 Uhr.

(5 Minuten später)

💬 Ich habe gerade mit Silke _____ **(5)**: Ja, wir sind dabei! Was sollen

wir _____ **(6)**?

💬 Vielleicht am besten etwas zu _____ **(7)**: Mineralwasser oder Säfte.

💬 In Ordnung! Dann bringen wir Apfel- und Orangensaft mit.

ℹ️ **Was soll ich mitbringen?**
In einigen Situationen (z. B. bei einer Feier/Party unter Freunden) ist es üblich, dass jeder Gast etwas zu essen oder zu trinken mitbringt.

69. Fragen und Antworten. Was passt zusammen?

1. Wollen wir uns um 17 Uhr treffen?

2. Wo treffen wir uns?

3. Ich habe heute Lisa im Krankenhaus besucht.

4. Ich wollte am Sonntag ein paar Freundinnen zu Kaffee und Kuchen einladen. Magst du auch kommen?

5. Ich suche ein Geschenk für Peter. Hast du schon etwas ausgesucht?

6. Wollen wir am Freitagnachmittag zusammen Tennis spielen?

7. Wartest du schon lange hier?

a) Ich will sie auch in den nächsten Tagen besuchen. Wo liegt sie denn genau?

b) Nein, noch nicht. Ich habe überhaupt keine Idee, was ich ihm schenken soll.

c) Um 17 Uhr kann ich nicht, ich habe einen Zahnarzttermin.

d) Ich komme gern zu dir, danke! Um wie viel Uhr denn?

e) Am besten direkt vor dem Kino.

f) Ja, gern, am Freitag passt es gut. Sollen wir uns direkt auf dem Platz treffen?

g) Schon 20 Minuten. Wir wollten uns um 10 Uhr treffen, und es ist schon 10:20 Uhr!

70. Einladungen und Vorschläge annehmen und ablehnen. Suchen Sie die Antworten in der Wortschlange und ordnen Sie sie in die Tabelle ein.

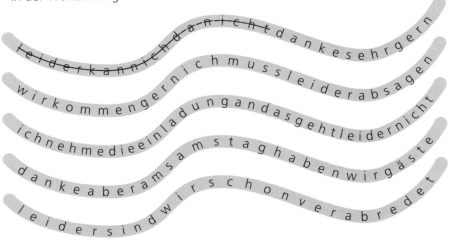

JA (annehmen)	NEIN (höflich ablehnen)
	Leider kann ich da nicht.

71. Wortbildung. Ergänzen Sie die Verben und die Nomen.

1. jemanden einladen $\rightarrow$ die _____
2. etwas _____ $\leftarrow$ die Feier
3. jemanden _____ $\leftarrow$ der Besuch
4. sich mit jemandem _____ $\leftarrow$ das Treffen
5. jemandem etwas schenken $\rightarrow$ das _____
6. sich mit jemandem _____ $\leftarrow$ die Verabredung
7. etwas _____ $\leftarrow$ die Absage
8. etwas anbieten $\rightarrow$ das _____
9. mit jemandem _____ $\leftarrow$ das Gespräch
10. sich mit jemandem _____ $\leftarrow$ die Unterhaltung
11. mit jemandem über etwas diskutieren $\rightarrow$ die _____

72. Wortbildung. Ergänzen Sie die Verben und die Nomen.

1. die *Party* zum *Geburtstag* $\longrightarrow$ *die Geburtstagsparty*
2. das *Fest* in der *Familie* $\longrightarrow$ _____
3. das *Fest* in der *Schule* $\longrightarrow$ _____
4. der *Besuch* der *Verwandten* $\longrightarrow$ _____
5. die *Karte* zum *Geburtstag* $\longrightarrow$ _____
6. die *Feier* zur *Verlobung* $\longrightarrow$ _____
7. das *Geschenk* zur *Hochzeit* $\longrightarrow$ _____
8. das *Fest* zur *Hochzeit* $\longrightarrow$ _____
9. das *Treffen* der *Klasse* $\longrightarrow$ _____
10. die *Verschiebung* des *Termins* $\longrightarrow$ _____
11. die *Absage* des *Termins* $\longrightarrow$ _____
12. die *Feier* zum *Abschied* $\longrightarrow$ _____
13. der *Termin* des *Besuchs* $\longrightarrow$ _____
14. die *Einladung* zur *Hochzeit* $\longrightarrow$ _____

73. Termine. Ergänzen Sie den Dialog.

Besuch • verabredet • passen • reden • sich unterhalten • vorhaben

🗨 Ich glaube, wir sollten uns treffen und über dieses Projekt _____ **(1)**.

🗨 Ja, wir sollten _____ auf jeden Fall darüber _____ **(2)**.
   Wollen wir uns am Dienstag sehen?

🗨 Tut mir leid, da bin ich schon _____ **(3)**. Wie wäre es am Mittwoch?

🗨 Am Mittwoch kommen unsere Kollegen aus Frankreich zu _____ **(4)**.
   Und am Donnerstag, so gegen 17 Uhr?

🗨 Am Donnerstag _____ **(5)** es mir sehr gut!

🗨 Mir auch. Ich _____ am Donnerstagnachmittag nichts anderes
   _____ **(6)**.

Essen

74. Lebensmittel. Ordnen Sie die Wörter den Bildern zu.

der Käse • das Brötchen • der Apfel • die Tomate • die Birne • das Brot • die Brezel • die Spaghetti *(Pl.)* • der Pilz

1. _____   2. _____   3. _____

4. _____   5. _____   6. _____

7. _____   8. _____   9. _____

75. Wie schmecken die Lebensmittel? Ordnen Sie die Adjektive zu.

scharf *(2x)* • süß *(3x)* • salzig *(1x)* • sauer *(2x)*

1. Zucker schmeckt _____.   **5.** Pfeffer schmeckt _____.

2. Chili schmeckt _____.   **6.** Zitronen schmecken _____.

3. Kuchen schmeckt _____.   **7.** Schokolade schmeckt _____.

4. Schinken schmeckt _____.   **8.** Essig schmeckt _____.

76. Ordnen Sie die Lebensmittel den Kategorien zu und ergänzen Sie die Artikel.

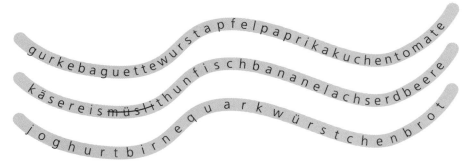

Obst	Gemüse	Getreide
		das Müsli

Milchprodukte	Fisch und Fleisch	Backwaren

77. Beim Bäcker. Bringen Sie die Sätze im Dialog in die richtige Reihenfolge.

1. Gern. Haben Sie noch einen Wunsch?

4. Gut, dann geben Sie mir bitte zehn.

2. Guten Tag! Was darfs sein?

5. Guten Tag! Sind die Rosinen-brötchen heute wieder im Angebot?

3. Ja, zehn Rosinenbrötchen kosten heute nur 2,50 €.

6. Vielen Dank, das ist alles.

78. Bilden Sie Adjektive aus den Nomen. Hilfe finden Sie im Merkkasten.

1. *der Durst*   Nach dem Joggen war ich müde und _____.

2. *das Fett*   Der Schweinebraten ist zu _____.

3. *die Sahne*   Die Suppe schmeckt _____.

4. *die Frucht*   Diese Bonbons haben einen _____ Geschmack.

5. *das Salz*   Diesen Käse finde ich zu _____.

6. *der Hunger*   Bist du immer noch _____?

> ***Adjektive auf -ig: windig, durstig, traurig***
> Adjektive können verschiedene Endungen haben:
> ▶ *der Wind – windig, der Tag – täglich, Polen – polnisch*
> Beispiele für die Endung *-ig:*
> ▶ *der Durst – durstig, das Öl – ölig*
> Manchmal ändert sich das Nomen ein bisschen:
> ▶ *die Farbe – farbig, das Wasser – wässrig, die Trauer – traurig*

79. Fleischsorten. Ordnen Sie die Wörter in die Tabelle ein.

das Beefsteak ▪ **der Schinken** ▪ ~~**der Kalbsbraten**~~ ▪ **das Hähnchen** ▪
der Speck ▪ **die Pute** ▪ **das Rindersteak** ▪ **die Ente** ▪ **der Rinderbraten**

Schwein	Rind	Geflügel
	der Kalbsbraten	

80. Welches Wort passt nicht in die Reihe?

1. dicker werden – zunehmen – einnehmen – ein paar Pfund zulegen

2. abnehmen – abmagern – dünner werden – abschalten – an Gewicht verlieren

3. Essen – Kost – Nahrungsmittel – Lebensmittel – Haushalt – Nahrung

4. konsumieren – essen – zu sich nehmen – verzehren – verschenken – speisen

5. süß – sauer – salzig – scharf – zäh – zart – gezahlt – geschmacklos – gebraten

6. Butter – Meeresfrüchte – Milch – Joghurt – Frischkäse – Mozzarella – Schafskäse

7. Bonbons – Eis – Pralinen – Schokolade – Bohnen – Müsliriegel

8. Bäcker – Autohändler – Fleischer – Obsthändler – Gemüsehändler – Konditor

9. Forelle – Karpfen – Schwertfisch – Pfirsich – Lachs – Hering

10. Metzgerei – Fischmarkt – Jahrmarkt – Konditorei – Eisdiele – Bäckerei

81. Kennen Sie diese Redewendungen? Ergänzen Sie die Minidialoge.

(a) Mit ihm habe ich noch ein Hühnchen zu rupfen! ▪ (b) ... ein Haar in der Suppe finden. ▪ (c) ... ein voller Bauch studiert nicht gern. ▪ (d) Rede nicht um den heißen Brei herum. ▪ (e) ... viele Köche verderben den Brei. ▪ (f) ... der Apfel fällt nicht weit vom Stamm.

1. Und? Nun sag schon! **(d)** Hast du nun die Führerscheinprüfung bestanden oder nicht?"

2. „Möchtest du noch mehr von dem Essen?" – Nein, danke. Ich muss nachher noch für die Prüfung lernen und ____"

3. „Wie läuft es auf der Arbeit?" – „Ach, nicht so gut. In meinem Team gibt es zu viele Leute und irgendwie machen alle das Gleiche, nichts funktioniert." – „Verstehe ich, ____"

4. „Du bist immer so negativ und kritisierst alles! Immer musst du ____"

5. „Sven will später Koch werden, genau wie sein Vater!" – „Tja, ____"

6. „Weißt du, wo Peter ist? ____ Er hat doch tatsächlich vergessen, mich gestern vom Bahnhof abzuholen. Ich habe eine ganze Stunde auf den Bus warten müssen!"

82. Wählen Sie die richtige Antwort.

1. Was sagt man, wenn man mit einem Getränk anstößt?
- ⭘ **a)** „Mahlzeit!"
- ⭘ **b)** „Prost!"
- ⭘ **c)** „Gesundheit!"

2. Was antwortet man auf „Guten Appetit"?
- ⭘ **a)** „Einen schönen Tag noch."
- ⭘ **b)** „Fangt ruhig schon an."
- ⭘ **c)** „Danke, gleichfalls."

83. Wörter wiederholen: Ergänzen Sie das Mindmap zum Wortfeld *Essen*. Sie haben alle Wörter in den Übungen **74**, **76** und **79** schon kennengelernt.

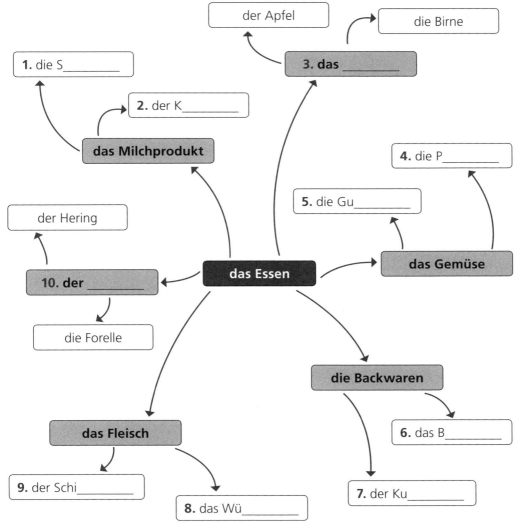

der Apfel

die Birne

3. das _____

1. die S_____

2. der K_____

das Milchprodukt

4. die P_____

5. die Gu_____

der Hering

10. der _____

das Gemüse

das Essen

die Forelle

die Backwaren

das Fleisch

6. das B_____

9. der Schi_____

8. das Wü_____

7. der Ku_____

Getränke

84. Finden Sie im Wortgitter acht Getränke.

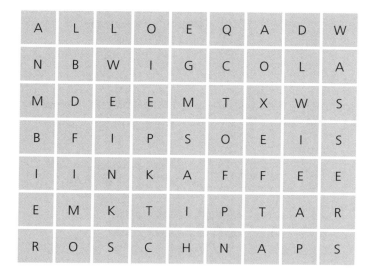

A	L	L	O	E	Q	A	D	W
N	B	W	I	G	C	O	L	A
M	D	E	E	M	T	X	W	S
B	F	I	P	S	O	E	I	S
I	I	N	K	A	F	F	E	E
E	M	K	T	I	P	T	A	R
R	O	S	C	H	N	A	P	S

85. Getränke. Welches Wort passt?

1. | ein Glas • eine Tasse | Bier — *ein Glas Bier*
2. | ein Teller • eine Flasche | Wasser
3. | ein Stück • ein Glas | Orangensaft
4. | eine Flasche • eine Tasse | Espresso
5. | ein Kännchen • ein Kasten | Tee
6. | eine Dose • eine Portion | Cola
7. | ein Glas • ein Teller | Wein

Endungen -chen und -lein:
Nomen mit der Endung -chen oder -lein sind immer Neutra (Artikel *das*).
Die Endungen drücken eine Verkleinerung oder eine spezielle Bedeutung aus:
▶ *das Glas – das Gläschen, die Kanne – das Kännchen, das Brot – das Brötchen*

Essen und Trinken

86. Wie heißen die Getränke? Bilden Sie Komposita.

~~WEIZEN~~ ▪ KAFFEE ▪ MINERAL ▪ ZITRONEN ▪ KRÄUTER ▪ SAFT *(2x)* ▪
ORANGEN ▪ LIMO(NADE) ▪ MILCH ▪ WASSER ▪ ~~BIER~~ ▪ TEE ▪ APFEL ▪
KAROTTEN ▪ SCHORLE

1. das W_eizenbier_____
2. das M_____
3. der Kr_____
4. der Ka_____

5. die Z_____
6. der M_____
7. der O_____
8. die A_____

Wörter bilden: Abendessen, Gemüsesaft
Im Deutschen setzt man oft zwei oder auch mehr Nomen zu einem neuen Nomen
zusammen. Das neue Nomen (Kompositum) hat immer den Artikel des letzten Nomens:
▶ **der** Abend + **das** Essen > **das** Abendessen
▶ **das** Gemüse + **der** Saft > **der** Gemüsesaft

87. Kalt oder heiß? Ergänzen Sie die Vokale (*a, e, i, o, u, ü*).

kalt	heiß
die L_m_(n_d_)	die h__ß_ Sch_k_l_d_
das B__r	der K_ff__
der T_m_t_ns_ft	der _spr_ss_
der E_st__	der schw_rz_ T__
der W__ßw__n	der C_pp_cc_n_
die C_l_	die h__ß_ Z_tr_n_
der B_n_n_ns_ft	der gr_n_ T__

88. Alkoholisch oder alkoholfrei? Ordnen Sie die Getränke in die Tabelle ein und ergänzen Sie die Artikel.

heiße Schokolade ▪ Bier ▪ Tee ▪ Cola ▪ Rotwein ▪ Limo(nade) ▪ Whiskey ▪ Schnaps ▪ Milchkaffee ▪ Weißwein ▪ Saft ▪ Likör ▪ Mineralwasser

alkoholisch	alkoholfrei

Das Genus von alkoholischen Getränken
Namen von alkoholischen Getränken sind fast immer maskulin:
▸ **der** Whiskey, **der** Rum, **der** Wein, **der** Likör ...
(Aber: **das** Bier, **die** Bowle!)

Mahlzeiten und Kochen

89. Wann finden die Mahlzeiten normalerweise statt? Ordnen Sie zu.

1. ca. 6–9 Uhr:　　　　das _____

2. ca. 12–14 Uhr:　　　das _____

3. ca. 15–16 Uhr:　　　das _____

4. ca. 18–20 Uhr:　　　das _____

Mahlzeiten: Abendessen, Abendbrot, Nachtessen
Ein anderes Wort für Abendessen ist Abendbrot. In Süddeutschland und in der Schweiz sagt man auch Nachtessen.

90. Der Frühstückstisch. Ordnen Sie die Wörter dem Bild zu.

**die Marmelade ▪ das Ei ▪ das Müsli ▪ die Tasse Kaffee ▪ die Zeitung ▪
die Gabel ▪ der Teller ▪ das Kännchen ▪ das Messer ▪ die Brötchen *(Pl.)* ▪
das Obst ▪ der Orangensaft ▪ die Butter**

2. _____

1. _____

3. _____

4. _____

5. _____

6. _____

7. _____

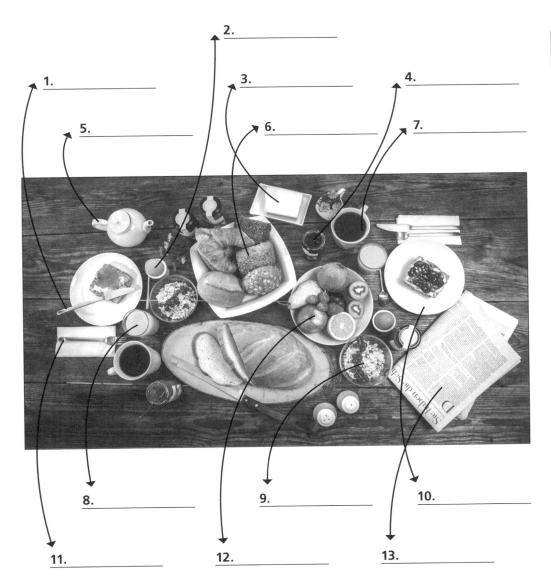

8. _____

9. _____

10. _____

11. _____

12. _____

13. _____

91. Was ist das? Ordnen Sie die Wörter der richtigen Erklärung zu.

1. Er ist oft rund und man legt Essen darauf.

2. Damit kann man z. B. Gemüse schneiden.

3. Damit isst man Suppe.

4. Daraus kann man Wasser oder Saft trinken.

5. Man braucht ihn, um Essen zu kochen.

a) der Topf

b) der Teller

c) das Messer

d) der Löffel

e) das Glas

92. Ordnen Sie die Verben den Bildern zu.

hinzugeben • schneiden • hacken • rühren • anbraten • schälen

1. Gemüse **2.** die Suppe **3.** Kartoffeln

_____ _____ _____

4. Karotten **5.** Würstchen **6.** Kräuter

_____ _____ _____

93. Welches Wort passt nicht in die Reihe?

1. gekocht – gebraten – geschrieben – gebacken – gehackt – geschnitten

2. Mittagessen – Abendessen – Mitternacht – Frühstück – Pausenbrot

3. Restaurant – Sporthalle – Lokal – Pub – Pizzeria – Kneipe

4. Löffel – Messer – Speisekarte – Gabel – Teelöffel

94. Rezept „Saure Kartoffelstückchen". Ergänzen Sie.

schneiden *(2x)* ▪ **schälen** ▪ **hinzugeben** ▪ **hacken** ▪ **dekorieren** ▪
Appetit ▪ **Gramm** ▪ **Pfanne** ▪ **Topf**

Zutaten für zwei Personen:

- 4 mittelgroße Kartoffeln
- 2–3 Möhren
- 1 kleines Glas Gewürzgurken
- 150 _____ **(1)** Wurst
  (Jagdwurst oder Cabanossi)
- 1,5 Liter Gemüsebrühe
- Petersilie

Zubereitung:

Die Kartoffeln und die Möhren _____ **(2)** und in Stücke

_____ **(3)**. Drei bis fünf Gewürzgurken in Scheiben

_____ **(4)**.

In einem mittelgroßen _____ **(5)** die Kartoffeln und Möhren in der

Gemüsebrühe ca. 15 Minuten leicht kochen lassen. Kurz vor Ende die Gewürzgurken

_____ **(6)**, alles gut verrühren und die Suppe mit der Gurken-

flüssigkeit aus dem Glas abschmecken. Die Wurst in Würfel schneiden und in einer

_____ **(7)** anbraten. Die Petersilie fein _____ **(8)**.

Zwei tiefe Teller mit Suppe füllen und mit der Wurst und Petersilie

_____ **(9)**.

Guten _____ **(10)**!

Regionale Unterschiede: Brötchen, Semmel, Schrippe

Auch bei den Bezeichnungen für Lebensmittel und Getränke gibt es regionale Unterschiede:
So sagt man z. B. für einfache Brötchen im Süden Deutschlands *Semmel*, in Berlin *Schrippe*.
In Österreich nennt man Tomaten *Paradeiser*, Blumenkohl *Karfiol*. Auch bei *Karotte, Möhre,
Rübchen, Mohrrübe* und *Gelbrübe* gibt es viel Variation.

Auswärts essen

95. Im Restaurant. Ergänzen Sie die Wörter im Dialog zwischen dem Kellner (💬) und den Gästen (💬, 💬).

> **gewählt** • **Tisch** • **Hauptgericht** • **reserviert** • **vegetarischen** • **Salat** • **geschmeckt** • **Spezialität** • **satt** • **zusammen** • **Vorspeise** • **Nachtisch** • **zahlen** • **danke**

💬 Guten Abend. Ich habe auf den Namen Peters _____ **(1)**.

💬 Guten Abend. Folgen Sie mir bitte. Ihr _____ **(2)** ist hier.

💬 Ich nehme erst eine Suppe. Nimmst du auch eine _____ **(3)**?

💬 Nein, ich glaube, ich nehme nur ein _____ **(4)**: ein Schnitzel mit

_____ **(5)**.

💬 Ich esse heute kein Fleisch; ich schau mal bei den _____ **(6)** Gerichten.

💬 Haben Sie schon _____ **(7)**?

💬 Ich nehme erst eine Tomatensuppe. Was können Sie denn als vegetarisches Hauptgericht

empfehlen?

💬 Die Käsespätzle sind die _____ **(8)** des Hauses, sehr lecker.

💬 Gut. Dann nehme ich die Käsespätzle.

(45 Minuten später)

💬 Hat es Ihnen _____ **(9)**?

💬 Ja, _____ **(10)**. Sehr gut.

💬 Möchten Sie noch einen _____ **(11)**?

💬 Also, ich nicht, ich bin _____ **(12)**.

💬 Danke. Wir möchten dann bitte _____ **(13)**.

💬 _____ **(14)** oder getrennt?

💬 Getrennt, bitte.

💬 Das macht 14,60 € und 17,50 €.

💬 *(zahlt)* 16 €.

💬 *(zahlt)* Stimmt so.

💬 Vielen Dank. Auf Wiedersehen!

Trinkgeld

In den deutschsprachigen Ländern ist es üblich, z. B. im Restaurant, im Taxi oder beim Friseur Trinkgeld zu geben. Viele Kunden geben ca. 10 % des Preises. Wenn der Kellner, Taxifahrer oder Friseur das Restgeld komplett behalten darf, sagt man: „Stimmt so!", wenn man bezahlt. Wenn er Restgeld herausgeben soll, sagt man ihm, wie viel Geld (inklusive Trinkgeld) er behalten darf.

96. Bestellen beim Kellner (🗩) im Café. Ergänzen Sie den Dialog und achten Sie auf die richtige Form.

Cappuccino ▪ Kännchen ▪ Stück ▪ bringen ▪ nehmen ▪ Vanilleeis

🗩 Guten Tag. Was darf ich Ihnen zu trinken _____ **(1)**?

💬 Guten Tag. Ich hätte gern einen _____ **(2)**.

💬 Und ich nehme ein _____ **(3)** Kaffee.

🗩 Schwarz oder mit Milch?

💬 Mit Milch bitte.

🗩 Sehr gern. Möchten Sie auch etwas essen?

💬 Ja, ich hätte gern ein _____ **(4)** Kuchen. Was haben Sie denn im Angebot?

🗩 Heute gibt es Obsttorte, Nusskuchen und Karottenkuchen.

💬 Oh, ich _____ **(5)** den Karottenkuchen.

🗩 Gern. Und für Sie?

💬 Ein _____ **(6)** mit heißen Kirschen.

🗩 Kommt sofort.

97. Wörter mit ähnlicher Bedeutung. Welches Wort passt nicht in die Reihe?

1. *der Kellner*   die Bedienung – der Ober – der Gast – die Servicekraft

2. *sich treffen*   zusammenkommen – sich trennen – sich begegnen

3. *ausgehen*   weggehen – zu Hause bleiben – etwas unternehmen

4. *das Fest*   der Urlaub – die Feier – die Party

5. *lecker*   köstlich – appetitlich – faul

6. *gemütlich*   angenehm – humorlos – bequem

7. *reservieren*   sich anmelden – bestellen – buchen – verpassen

98. Was stimmt? Wählen Sie die richtige Antwort.

1. Selbstbedienung heißt, dass
○ **a)** man sich das Essen selbst holt und dann an einer Kasse bezahlt.
○ **b)** man sich im Restaurant selbst an einen freien Tisch setzt.
○ **c)** man als Gast Essen mitbringt.

2. Wenn jemand „beschwipst" ist, dann
○ **a)** hat er zu viel Alkohol getrunken.
○ **b)** hat er zu viel Wasser mit Kohlensäure getrunken.
○ **c)** hat er etwas Wichtiges vergessen.

3. Was ist ein Spiegelei?
○ **a)** Ein Kinderspiel.
○ **b)** Ein Spiegel, der die Form von einem Ei hat (oval).
○ **c)** Ein gebratenes Ei, das außen weiß und in der Mitte gelb ist.

4. Was ist ein Scherzkeks?
○ **a)** Ein sehr süßer Schokoladenkeks.
○ **b)** Eine Person, die lustig ist und gern Witze macht.
○ **c)** Ein Stück Kuchen, das man zum Abendessen isst.

99. Was ist das? Ordnen Sie die Wörter der richtigen Erklärung zu.

1. sich vegan ernähren

2. eine Glutenunverträglichkeit haben

3. eine kalorienarme Diät halten

4. eine Laktoseintoleranz haben

5. sich ungesund ernähren

6. vitaminreiche Kost essen

7. sich vegetarisch ernähren

a) Lebensmittel essen, die viele Vitamine enthalten

b) z. B. keine Nudeln und kein Müsli vertragen

c) nur Lebensmittel essen, die wenige Kalorien haben (die nicht dick machen)

d) keine tierischen Produkte essen

e) kein Fleisch oder keinen Fisch, aber Milchprodukte und Eier essen

f) Lebensmittel essen, die nicht gut für die Gesundheit sind

g) keine Milchprodukte vertragen (Laktose = Milchzucker)

ⓘ

Auswärts essen: Vegetarier, Veganer, Allergiker
Restaurants und Cafés kommen den speziellen Wünschen ihrer Gäste entgegen: Auf der Speisekarte gibt es in der Regel auch vegetarische, vegane, manchmal auch glutenfreie Menüs. Außerdem können Gäste Informationen zu Allergenen in den Gerichten bekommen.

Essen und Trinken

100. Lesen Sie die Speisekarte und beantworten Sie die Frage.

ଞ୦ଔ

Café Linde
Unser Mittagstisch

1 saftiges Schweineschnitzel, paniert, mit Bratkartoffeln [1, 2, a, b] . . . . . 10,50 €

2 Tofu mit Bohnengemüse und gemischtem Salat [1, d] . . . . 7,50 €

3 Thunfischsalat mit Brötchen [1, a, c, e] . . . . 8,20 €

4 Lachs mit Brokkoli und Salzkartoffeln [c] . . . . 11,50 €

5 Bratwurst mit Pommes frites und Ketchup/Mayonnaise [1, 2, 3, a, b, e] . . . 7,50 €

6 Spaghetti Bolognese mit Parmesankäse [1, 2, a, e] . . . . 6,50 €

Kennzeichnungen:

[1] mit Geschmacksverstärker, [2] mit Konservierungsstoffen, [3] mit Phosphat

Allergene:

[a] glutenhaltiges Getreide, [b] Eier und Eiererzeugnisse,

[c] Fisch und Fischerzeugnisse, [d] Soja und Sojaerzeugnisse,

[e] Milch und Milchprodukte einschließlich Laktose

ଞ୦ଔ

Wer darf welches Gericht oder welche Gerichte essen?

1. eine Vegetarierin: Gericht(e) _____

2. eine Person, die eine Glutenunverträglichkeit hat: Gericht(e) _____

3. eine Person, die eine Laktoseintoleranz hat: Gericht(e) _____

4. eine Person, die eine Allergie auf Eier hat: Gericht(e) _____

5. ein Veganer: Gericht(e) _____

Haus und Wohnung

101. Räume im Haus. Ordnen Sie die Wörter den Bildern zu.

die Küche • **die Garage** • **das Schlafzimmer** • **das Kinderzimmer** •
das Badezimmer (= das Bad) • **das Wohnzimmer**

1. _____

2. _____

3. _____

4. _____

5. _____

6. _____

102. Eine Wohnung beschreiben. Ordnen Sie zu.

1. Es gibt viel Licht und große Fenster.

2. Es gibt viel Platz.

3. Die Wohnung kostet nicht viel.

4. In der Wohnung sind keine Möbel.

5. Die Wohnung liegt in der Stadtmitte.

6. Die Miete ist sehr hoch.

7. Es gibt nicht viel Platz.

8. Man hört keine Autos oder Nachbarn.

9. In der Wohnung sind Möbel.

10. Es gibt nicht viel Licht.

a) billig

b) möbliert

c) teuer

d) klein

e) ruhig

f) hell

g) dunkel

h) zentral

i) groß

j) unmöbliert

103. Einen Besichtigungstermin machen. Ergänzen Sie das Telefongespräch.

Wiederhören • passt • frei • anschauen • Wohnung • Stock

💬 Guten Tag, mein Name ist Jones. Ich rufe wegen der _____ **(1)** in der

Schützenstraße 12 an. Ist sie noch _____ **(2)**?

🗨 Ja, das ist sie.

💬 Könnte ich sie mir vielleicht _____ **(3)**?

🗨 Natürlich. Hätten Sie am Samstag gegen 10:30 Uhr Zeit?

💬 Ja, das _____ **(4)** gut.

🗨 Sehr gut, wir sehen uns also am Samstag. Die Wohnung ist im dritten

_____ **(5)**.

💬 Vielen Dank und auf _____ **(6)**.

104. Wo kann man wohnen? Bilden Sie Komposita, ordnen Sie sie den Bildern zu
und ergänzen Sie den Artikel.

**GÄSTE • BOOT • HAUS *(4x)* • ZIMMER • HEIM • HOCH •
EINFAMILIEN • REIHEN • PFLEGE**

1. _____

2. _____

3. _____

4. _____

5. _____

6. _____

105. Suchen Sie das Gegenteil und setzen Sie das Adjektiv in der richtigen Form ein.

teuer ▪ sauber ▪ hell ▪ klein ▪ leer ▪ laut

1. *dunkel*   Diese Wohnung ist sehr _____.

2. *groß*   Das _____ Zimmer werde ich als Arbeitszimmer

nutzen.

3. *voll*   Sein Kühlschrank ist immer _____, weil er nie Zeit

zum Einkaufen hat.

4. *billig*   In München sollen die Mieten sehr _____ sein.

5. *schmutzig*   Ich habe ein kleines, aber schönes und _____

Zimmer gemietet.

6. *leise*   Hier möchte ich auf keinen Fall eine Wohnung mieten. Es ist zu

_____; ich will meine Ruhe haben.

106. Mieter und Vermieter – wer macht was? Ergänzen Sie.

vermietet ▪ Miete ▪ Vermieter ▪ Mietvertrag ▪ mietet

> Der Mieter   und   der _____ **(1)**

unterschreiben

> den _____ **(2)**.

Der Mieter   _____ **(3)**   die Wohnung.

Der Vermieter   _____ **(4)**   die Wohnung.

Der Mieter zahlt dem Vermieter

> die _____ **(5)**.

107. Eine Wohnungsanzeige. Ordnen Sie die Wörter aus der Wortschlange den Abkürzungen zu.

WG-Mitbewohnerin gesucht!

Ich (32) suche ab 1. 6. eine WG-Mitbewohnerin für meine Wohnung (3 **ZKB**) in Marburg-Ortenberg. Das Zimmer ist 16 **m²** groß, hell und möbliert. Die Wohnung liegt im 3. Stock, hat Badewanne und Balkon. 2 Min. zur Bushaltestelle, 400 m zum **Bhf.**
KM: 280 €, **NK** (inkl. Strom und WLAN): 85 €, Kaution: 2 **MM.**
Tel.: 06421 2004389.

1. WG: _____

2. ZKB: _____

3. m²: _____

4. Bhf: _____

5. KM: _____

6. NK: _____

7. MM: _____

8. Tel.: _____

ℹ **KM, NK und WM**

▶ KM: Kaltmiete (Miete ohne die Nebenkosten)   z. B.   500 € KM
▶ NK: Nebenkosten (Strom, Heizung, Wasser usw.)   + 100 € NK
▶ WM: Warmmiete (Miete mit den Nebenkosten)   = 600 € WM

108. Mitteilungen, Hinweise und Schilder. Ergänzen Sie die Sätze.

Aufzug ▪ **schließen** ▪ **Klingel** ▪ **Betreten** ▪ **Erdgeschoss** ▪ **Treppenhaus**

1. Liebe Freunde, die _____ an der Haustür ist kaputt. Meine Wohnung ist

im _____. Kommt einfach um das Haus herum. Anna.

2. _____ außer Betrieb. Bitte benutzen Sie die Treppe.

3. Bitte keine Fahrräder im _____ abstellen – dies ist ein Fluchtweg!

4. _____ der Baustelle verboten.

5. Bitte immer die Haustür _____!

109. Ergänzen Sie die Sätze und achten Sie auf die richtige Form.

> verpacken *(2x)* ▪ bepacken ▪ einziehen *(2x)* ▪ ausziehen *(2x)* ▪
> beziehen *(2x)* ▪ feiern ▪ renovieren

1. Meine Nichte _____ in zweieinhalb Wochen von zu Hause

_____ .

2. Meine Großmutter sagt, Geschirr _____ man beim Umzug am besten in

Handtüchern.

3. Wer möchte bei uns _____ ? Wir haben noch ein großes Doppelzimmer

frei!

4. _____ du bitte noch das Bett? Ich habe frische Bettwäsche auf die

Matratze gelegt.

5. Du bist wieder mal _____ wie ein Esel. Nimm doch nicht alles auf

einmal! Ich kann auch ein paar Kartons tragen.

6. Wann _____ du in deine neue Wohnung _____ ? – Sie ist

noch nicht fertig; sie wird gerade _____ . Ich glaube aber, dass wir schon

im September die Einweihungsparty _____ können.

7. Die Wohnung können Sie am 1. Juni _____ .

8. Wir _____ Ihr Glas und Porzellan sicher, sodass es nicht kaputtgeht.

Darauf können Sie sich verlassen.

9. Inge und Mark wollen sich trennen. Mark sucht schon eine neue Wohnung,

um möglichst bald _____ .

> ### Trennbare und untrennbare Verben: einziehen, ausziehen, beziehen
> Vorsilben geben einem Verb oft eine neue Bedeutung (z. B. *ziehen, ausziehen, beziehen*).
> ▶ Verben mit den Vorsilben *ent-, zer-, ver-, emp-, be-, er-, miss-, ge-* sind **untrennbar.**
> ▶ Verben mit den Vorsilben *aus-, auf-, ein-* sind **trennbar.**
>
> Am besten lernt man die Verben mit einem Beispielsatz:
> ▶ *Herr Müller zieht nächste Woche* **aus.**
> ▶ *Sie* **be***ziehen die Wohnung am 24. Juli.*

110. Eine Wohnung mieten. Ordnen Sie die Wörter den Erklärungen zu.

1. die Nebenkosten

2. die Mülltrennung

3. der Mietvertrag

4. die Kaution

5. die Ruhezeiten

a) das Dokument, das der Mieter unterschreiben muss, wenn er eine Wohnung mietet

b) die Geldsumme, die der Mieter einmalig als Sicherheit zahlt, wenn er eine Wohnung mietet

c) das Sammeln von Abfall in unterschiedlichen Tonnen, z. B. Altpapier und Altglas

d) die Uhrzeiten, zu denen ein Mieter keinen Lärm machen darf (laute Musik, Partys usw.)

e) der Geldbetrag, den der Mieter zusätzlich zur Kaltmiete für Heizung, Wasser usw. zahlen muss

111. Eine Bewertung für eine Unterkunft. Ergänzen Sie die Sätze.

eingerichtet • Steckdose • ~~durchbrannte~~ • repariert • funktioniert • Aufenthalt • tropfte • öffnen • kaputt

1-Zimmer-Wohnung, Dublin, Irland	Ronny, 33 Jahre, Österreich

Wir sind erst sehr spät abends angekommen, aber unsere Gastgeberin hat uns alles in Ruhe gezeigt und erklärt. Als plötzlich in der Lampe eine Glühbirne

durchbrannte **(1)**, hat sie sie sofort ausgewechselt. Und auch als der Wasser-

hahn _____ **(2)**, kam sie noch am selben Tag vorbei und hat ihn

_____ **(3)**. Die Klingel war _____ **(4)**. Außerdem hat die

Heizung nicht _____ **(5)**; zum Glück war es aber nicht so kalt. Dass man

das Fenster im Bad nicht _____ **(6)** konnte, war unpraktisch. Insgesamt

ist die Wohnung aber sehr schön _____ **(7)** und gut ausgestattet. Ich

hatte z. B. meinen Adapter vergessen und konnte erst die _____ **(8)**

nicht benutzen, habe dann aber in einer Schublade einen passenden gefunden.

Alles in allem ein angenehmer _____ **(9)**, aber wir würden die Wohnung

nicht noch einmal buchen.

Gesamtbewertung: ⭐⭐⭐☆☆

Einrichtung

112. Möbel und Einrichtung. Ordnen Sie die Wörter den Bildern zu und ergänzen Sie die Artikel.

1. _____ 2. _____ 3. _____

4. _____ 5. _____ 6. _____

7. _____ 8. _____ 9. _____

10. _____ 11. _____ 12. _____

113. Bequem, ruhig, zentral … Ergänzen Sie die Sätze und achten Sie auf die richtige Form.

~~bequem~~ • **teuer** • **möbliert** • **kaputt** • **ruhig** • **gemütlich** • **zentral**

1. Mein neuer Bürostuhl ist wirklich _____**bequem**_____.

2. „Die Wohnung liegt _____" bedeutet: „Die Wohnung liegt in der Stadtmitte oder unweit vom Zentrum."

3. Dieses Viertel ist mir zu laut; ich suche eine _____ Wohnlage.

4. Der Wasserhahn ist wieder _____, kannst du bitte den Klempner anrufen?

5. Ich finde, du hast eine sehr schöne und _____ Wohnung: Man fühlt sich sofort sehr wohl bei dir.

6. Hast du dir die Einrichtung deiner Wohnung selbst ausgesucht? – Nein, ich habe die Wohnung _____ gemietet.

7. Warum sucht Max eine neue Wohnung? – Seine Freundin hat ihn verlassen; die alte Wohnung ist ihm jetzt zu _____.

114. Finden Sie im Wortgitter neun Farben.

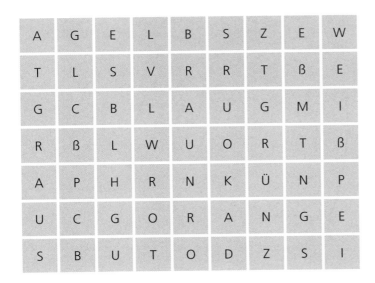

A	G	E	L	B	S	Z	E	W
T	L	S	V	R	R	T	ß	E
G	C	B	L	A	U	G	M	I
R	ß	L	W	U	O	R	T	ß
A	P	H	R	N	K	Ü	N	P
U	C	G	O	R	A	N	G	E
S	B	U	T	O	D	Z	S	I

Haushaltsgeräte

115. Wie heißen die Haushaltsgeräte? Ordnen Sie die Wörter dem Bild zu.

**der Fernseher • die Mikrowelle • die Waschmaschine • der Herd •
der Toaster • der Kühlschrank • die Kaffeemaschine • der Ofen**

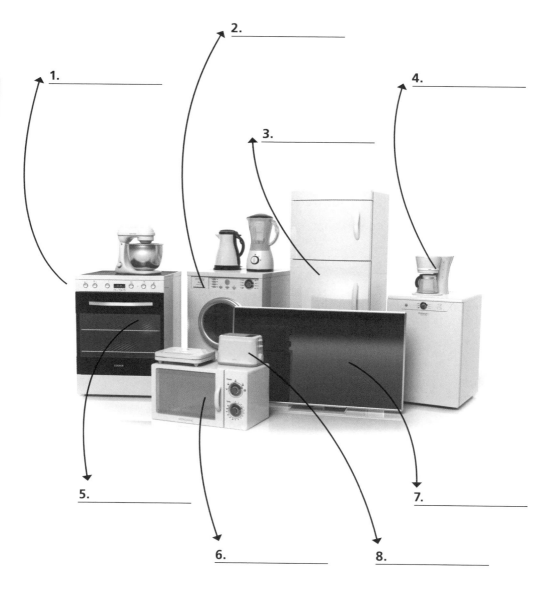

2. _____

1. _____

4. _____

3. _____

5. _____

7. _____

6. _____

8. _____

9. Welches von den Geräten steht normalerweise *nicht* in der Küche? _____

116. Im Haushalt. Welches Verb oder Adjektiv passt zum Nomen?

1. der Ofen
○ **a)** waschen
○ **b)** kochen
○ **c)** backen

2. der Fernseher
○ **a)** fahren
○ **b)** fotografieren
○ **c)** fernsehen

3. die Waschmaschine
○ **a)** waschen
○ **b)** backen
○ **c)** braten

4. der Trockner
○ **a)** mixen
○ **b)** trocknen
○ **c)** saugen

5. der Staubsauger
○ **a)** kehren
○ **b)** saugen
○ **c)** waschen

6. die Kaffeemaschine
○ **a)** spülen
○ **b)** kochen
○ **c)** waschen

7. der Kühlschrank
○ **a)** kalt
○ **b)** warm
○ **c)** heiß

8. die Mikrowelle
○ **a)** blau
○ **b)** heiß
○ **c)** groß

117. Eine Waschmaschine bestellen. Was bedeuten die kursiv gedruckten Wörter? Ordnen Sie zu.

1. Bei Zahlungsverzug *ist* der Verkäufer *berechtigt*, eine Mahngebühr in Rechnung zu stellen.

2. Der Käufer *ist verpflichtet*, dem Verkäufer mitzuteilen, wenn der Lieferort mit einem Lkw nicht oder schwer erreichbar ist.

3. Ein Anspruch auf Schadenersatz bei verspäteter Lieferung *ist ausgeschlossen*.

4. Der Kunde *erklärt sich bereit*, die Lieferkosten bei einer Rücksendung zu tragen.

5. Dem Käufer *ist untersagt*, noch nicht bezahlte Ware an Dritte weiterzugeben.

a) er muss

b) er ist einverstanden

c) er darf nicht

d) er hat das Recht

e) er besteht nicht

Hausarbeiten

118. Was ist im Haushalt zu tun? Ergänzen Sie die Sätze.

Blumen ▪ Fenster ▪ Wäsche ▪ Müll ▪ Geschirr ▪ Schreibtisch

1. Ich muss noch die _____ waschen, aber die Waschmaschine ist kaputt.

2. Die _____ sind sehr schmutzig. – Ja, stimmt. Ich werde sie nächste Woche mal wieder putzen.

3. Wir haben vereinbart, dass ich koche und du das _____ spülst.

4. Bevor du mit der Arbeit beginnst, solltest du deinen _____ aufräumen.

5. Nächste Woche bin ich im Urlaub. Könntest du vielleicht die _____ gießen?

6. Könntest du bitte den _____ hinunterbringen?

119. Rund um das Haus. Ergänzen Sie die Sätze und achten Sie auf die richtige Form.

Pfand ▪ Mülltonne ▪ Garage ▪ Terrasse ▪ Aussicht

1. Heute werden die _____ in unserer Straße geleert.

2. Kannst du bitte das Auto in die _____ fahren?

3. Wo ist Opa? – Er sitzt auf der _____.

4. Dieses Zimmer hat eine herrliche _____! Man kann den ganzen See sehen.

5. Flaschen, auf denen _____ ist, bringt man zurück ins Geschäft, wenn sie leer sind.

Pfand auf Getränkeverpackungen
In Deutschland bezahlt man für viele Flaschen und Dosen beim Einkauf *Pfand* (z. B. 15 Cent). Wenn man die Flasche oder Dose ins Geschäft zurückbringt, erhält man das Pfand zurück. Pfandflaschen und -dosen sind durch besondere Symbole oder Aufschriften gekennzeichnet. Eine *Mehrwegflasche* wird mehrmals gereinigt und dann wieder befüllt; bei *Einwegflaschen* recycelt man das Material.

120. Welches Nomen passt nicht?

1. *sauber*	Toilette – Wasser – Wäsche – ~~Suche~~
2. *schmutzig*	Jahr – Kleidung – Schuhe – Hände
3. *geputzt*	Schuhe – Fenster – Zähne – Brot
4. *aufgeräumt*	Schreibtisch – Teppich – Wohnung – Zimmer
5. *verschmutzt*	Müll – Urlaub – Luft – Wasser
6. *gewaschen*	Möbel – Wäsche – Hände – Auto

121. Geräte und Gegenstände im Haushalt. Ordnen Sie die Wörter in die Tabelle ein.

**der Lautsprecher • der Staubsauger • der Wasserkocher • der Mixer •
der Haartrockner (= der Föhn) • das Bügeleisen • der Wäscheständer •
die Bohrmaschine • der Fernseher • das Radio • der Hammer • der Rasierer**

Küchengerät	Reinigungsgerät	zur Körperpflege

zur Wäschepflege	Werkzeug	Unterhaltungs-elektronik

122. Wörter wiederholen: Lösen Sie das Kreuzworträtsel zu Haushaltsgeräten.
Sie haben alle Wörter in den Übungen **115** und **121** schon kennengelernt.

1. In einer ... kann man Essen schnell aufwärmen.
2. Mit einem ... macht man Wäsche glatt; es ist aus Metall.
3. Einen ... braucht man, um Musik oder Stimmen aus Fernseher,
Radio oder Computer lauter hören zu können.
4. Einen ... braucht man, wenn man Wasser heiß machen möchte.
5. Auf einem ... hängt man nasse Wäsche zum Trocknen auf;
er steht in der Wohnung.
6. Ein ... dient zum Kochen und Backen.

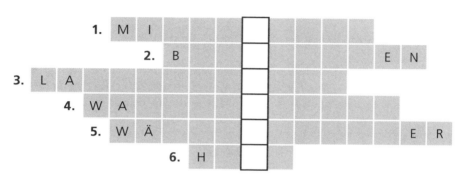

Lösungswort: _____

123. Hausordnung und Mietvertrag: Was darf man, was darf man nicht, was muss
man? Wählen Sie die passende Variante aus.

1. „Es ist verboten, nach 22 Uhr zu
staubsaugen."
◯ **a)** Man darf nach 22 Uhr
◯ **b)** Man darf nach 22 Uhr nicht
◯ **c)** Man muss nach 22 Uhr
staubsaugen.

2. „Nur Kleintiere sind erlaubt."
◯ **a)** Man darf
◯ **b)** Man darf nicht
◯ **c)** Man muss
nur Kleintiere halten.

3. „Rauchen im Treppenhaus ist
strengstens untersagt."
Im Treppenhaus
◯ **a)** darf man rauchen.
◯ **b)** muss man nicht rauchen.
◯ **c)** darf man nicht rauchen.

4. „Die Miete ist pünktlich zum Ende
des Monats zu überweisen."
◯ **a)** Die Miete kann man
◯ **b)** Die Miete muss man
◯ **c)** Die Miete darf man
pünktlich bezahlen.

124. Frühjahrsputz. Ordnen Sie die Wörter den Bildern zu.

der Besen • der Staubsauger • das Geschirrtuch • die Toilettenbürste • der Putzeimer • der Schwamm

 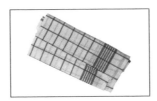 

1. _____ 2. _____ 3. _____

4. _____ 5. _____ 6. _____

125. Haus, Heim, Heimat. Bilden Sie Wörter aus den Silben und ergänzen Sie die Sätze.

HAUS *(2x)* • MAT • HALT • ARBEIT *(2x)* • HEIM • HEI

1. Ich helfe meiner Großmutter bei der _____. Sie ist schon sehr alt und vieles ist für sie anstrengend.

2. Wir sind ein 5-Personen-_____. Da braucht man eine große Wohnung.

3. Möchten Sie sich zu Hause etwas Geld dazuverdienen? Arbeiten Sie in _____ für uns und testen Sie unsere neuen Computerspiele!

4. Deutschland ist meine neue _____ geworden. Ich lebe jetzt schon seit zwanzig Jahren hier.

126. Mülltrennung. Ordnen Sie die Wörter den Bildern zu.

~~der Restmüll~~ ● das Altglas ● der Biomüll ● der gelbe Sack ●
der Sondermüll ● das Altpapier

1. _____   2. _____   3. _____

4. _____   5. _____   6.   _der Restmüll_

Wohin gehören die Abfälle? Kreuzen Sie an.

	1	2	3	4	5	6
Zeitungen						
Obstreste						
Kugelschreiber						
Plastikflaschen ohne Pfand						
Brotreste						
Kartons						
Joghurtbecher						
Weinflaschen						
Blumen						
Marmeladengläser						
Batterien						
kaputte Schuhe						

Gelber Sack / gelbe Tonne
In den „gelben Sack" oder die „gelbe Tonne" wirft man Verpackungsmüll mit dem
„grünen Punkt". Der Müll wird zum Teil recycelt.

Schule, Ausbildung, Studium

127. Was brauche ich in der Schule? Ordnen Sie die Wörter aus der Wortschlange den
Bildern zu und ergänzen Sie die Artikel.

1. _____   2. _____   3. _____

4. _____   5. _____   6. _____

128. Welches Verb passt nicht?

1. *eine Frage*   t̶u̶n̶ – stellen – erklären – verstehen

2. *die Antwort*   kennen – wissen – geben – nehmen

3. *einen Fehler*   machen – korrigieren – bestellen – finden

4. *die Lehrerin*   kennen – wissen – suchen – fragen

5. *für die Schule*   lernen – studieren – üben – (etwas) lesen

6. *ein Wort*   stellen – kennen – nachsprechen – aufschreiben

Das Notensystem an deutschen Schulen
Bis zur zehnten Klasse besteht das Notensystem an deutschen Schulen aus Noten von 1 bis 6:
▶ 1: *sehr gut*; 2: *gut*; 3: *befriedigend*; 4: *ausreichend*; 5: *mangelhaft*; 6: *ungenügend*
Eins ist die beste Note; bis zu einer *Vier* hat man bestanden, mit einer *Fünf* oder *Sechs* nicht.

129. In der Schule. Ergänzen Sie das Interview mit dem Schüler Jan.

Hausaufgaben • Ferien • Zeugnis • Noten • fleißig • Fächer • Klasse • Pause • Stunden • Stundenplan • Klassenarbeit

💬 Jan, in welche _____ **(1)** gehst du?

💬 In die achte.

💬 Für welche _____ **(2)** interessierst du dich am meisten?

💬 Für Biologie und Geschichte.

💬 Und hast du gute _____ **(3)**?

💬 In Bio ja: Letztes Jahr hatte ich eine Eins im _____ **(4)**. In Deutsch nicht.

💬 Was machst du gern in der _____ **(5)**?

💬 Ich spiele gern mit meinen Freunden Fußball.

💬 Wie viele _____ **(6)** Unterricht hast du am Tag?

💬 Meistens sechs oder acht; ich habe einen vollen _____ **(7)**. Nach der Schule muss ich noch _____ **(8)** machen oder für eine _____ **(9)** lernen.

💬 Ihr seid aber _____ **(10)**! Möchtest du zum Schluss etwas sagen?

💬 Ja, ich freue mich auf die _____ **(11)**!

130. Ordnen Sie die Schulfächer aus der Wortschlange den Symbolen zu.

deutschmusikbiologiemathematikenglischgeografiechemiefranzösischsport

1. _____

2. _____

3. _____

4. _____

5. _____

6. _____

7. Sprachen: _____, _____, _____

131. Bilden Sie die Verben zu den Nomen und ergänzen Sie die Sätze. Achten Sie auf die richtige Form.

1. *die Übung*   Ich bin nicht gut in Mathe; ich muss noch viel _____.

2. *die Antwort*   Wer kann auf meine Frage _____?

3. *die Prüfung*   Wer _____ dich? Frau Müller oder Herr Semmler?

4. *die Wiederholung*   Ich habe es nicht verstanden. _____ du das bitte?

5. *die Bedeutung*   Was _____ „to achieve" auf Deutsch?

6. *die Erklärung*   Sie hat mir die Regeln _____; jetzt verstehe ich sie.

7. *die Korrektur*   Mein Lehrer _____ die Tests bis morgen.

8. *die Lösung*   _____ ihr bitte die nächste Aufgabe?

9. *die Verbesserung*   In diesem Text gibt es noch ein paar Fehler. Ich muss ihn noch

     _____.

ℹ **Das Genus von Wörtern auf -ung, -heit, -keit, -ion, -ur**
Nomen mit diesen Endungen sind immer feminin: *-ung (die Wiederholung),*
-heit (die Freiheit), -keit (die Möglichkeit), -ion (die Information) und *-ur (die Korrektur).*

132. Rund um die Schule. Ergänzen Sie die Sätze.

**Taschenrechner ▪ Schulzeit ▪ Übung ▪ Block ▪ Klassenfahrt ▪ Reihe ▪
Schreibtisch ▪ Grundschule ▪ Rucksack ▪ Lösung ▪ Prüfung**

1. Wer kennt die _____ zu _____ 6 auf Seite 23?

2. Lernst du lieber in der Bibliothek oder zu Hause am _____?

3. In der _____ bekommen die Schüler in der ersten Klasse normaler-

weise noch keine Noten.

4. Sie lernt seit einer Woche für die _____.

5. Ich habe alle Bücher und Hefte in meinem _____.

6. Die Klasse 9 a macht eine _____. Sie fährt nach Rügen.

7. Wie lange kennst du Max schon? – Ich kenne ihn schon seit meiner _____.

8. Ich habe alles auf meinem _____ notiert.

9. Was ist 37 x 4? – Das weiß ich nicht; hast du keinen _____?

10. Und wo sitzt Susanne? – In der letzten _____.

133. Wortfeld *Lernen*. Lesen Sie die Tipps im Merkkasten. Ergänzen Sie die Sätze und achten Sie auf die richtige Form.

wissen *(3x)* ▪ kennen *(3x)* ▪ lernen *(3x)* ▪ studieren *(3x)*

1. Wie lange hast du _____? – Insgesamt fünf Jahre: drei Jahre für meinen Bachelor und zwei Jahre für meinen Master.

2. Nach zwei Semestern an der Uni in Bern _____ ich die Universität schon gut. – Ja, ich auch. Bern gefällt mir wirklich gut. Ich möchte aber auch gern im Ausland _____.

3. Was machst du morgen? – Ach, ich muss noch für den Test _____.

4. Ich _____ Amerikanistik an der Uni München. Und du? – Jura. Aber ich _____ Englisch an einer privaten Sprachschule.

5. Leider kann ich dir nicht helfen. Ich _____ die Bibliothek nicht so gut. – Kein Problem. Ich frage mal Manuel. Vielleicht _____ er ja, wo ich das Buch finde.

6. Anita _____ sehr viel über die englische Literatur. Das hat sie in vielen Kursen an der Uni _____.

7. Was ist die älteste Uni in Deutschland? _____ du das? – Ich bin mir nicht sicher: Ist es die Uni Heidelberg?

8. Und, wie gefällt dir die neue Klasse? – Das kann ich noch nicht sagen; ich _____ noch niemanden.

> **Wissen – kennen – lernen – studieren**
> Die folgenden Sätze helfen Ihnen, das richtige Verb zu wählen:
> ▶ *Wie spät ist es? – Ich weiß es nicht.*
>   *Ich weiß nicht, wo das Konzert stattfindet. Weißt du, wie das deutsche Schulsystem funktioniert?*
> ▶ *Ich kenne den Professor. Ich kenne Hamburg gut.*
>   *Kennst du diese Frau? – Ja, ich habe sie gestern kennengelernt.*
> ▶ *Wir lernen Deutsch am Goethe-Institut. Ich lerne für eine Prüfung.* (Lernprozess)
>   *Man muss viel üben, um eine Sprache zu lernen.*
> ▶ *Er ist Student. Er studiert Mathematik in Bonn.*
>   *Wo kann man gut Germanistik studieren?* (Studium an einer Universität/Fachhochschule)

134. Das deutsche Schulsystem. Ergänzen Sie die Sätze und achten Sie auf die richtige Form.

Gymnasium • Gesamtschule • Grundschule • Kindergarten • Schultyp • Ausbildung • Realschule • Abitur • Abschluss • Studium

Mit drei Jahren gehen viele Kinder in den _____ **(1)**. Wenn sie sechs

Jahre alt sind, beginnt die _____ **(2)**. Danach gibt es in Deutschland

verschiedene _____ **(3)**: die Hauptschule, die Realschule, das

Gymnasium und die Gesamtschule. Die Hauptschule endet nach der 9. oder 10. Klasse;

in der _____ **(4)** macht man nach der 10. Klasse seinen

_____ **(5)**; danach kann man eine _____ **(6)**

machen. Im _____ **(7)** macht man nach der 12. oder 13. Klasse das

_____ **(8)**. Danach beginnen viele ein _____ **(9)**.

In der _____ **(10)** lernen alle Schüler von der 5. bis zur 10. Klasse

zusammen.

135. Ausbildung und Studium. Ergänzen Sie die Sätze und achten Sie auf die richtige Form.

Ausbildungsberuf • Master • Ausbildung • Bachelorabschluss • praktisch • Berufsschule

Um einen Beruf zu erlernen, macht man eine _____ **(1)**. Sie dauert

normalerweise zwei bis drei Jahre. Man lernt „dual": _____ **(2)**

Erfahrungen sammelt man in einer Firma oder einem Betrieb; das theoretische Wissen

wird in der _____ **(3)** vermittelt.

Typische _____ **(4)** sind Koch oder Mechatroniker. Wenn man an

einer Universität oder Fachhochschule studiert, macht man normalerweise zuerst einen

_____ **(5)**; das Bachelorstudium dauert in der Regel drei Jahre.

Danach kann man sich für einen _____ **(6)** einschreiben, der

normalerweise zwei Jahre dauert.

136. Ausbildung oder Studium? Tipps für Schüler. Ergänzen Sie die Sätze und achten Sie auf die richtige Form.

praxisorientiert • Ziel • länger • Karrierechance • werden • Praktikum • entscheiden

---

Was ist das Richtige für dich – eine Ausbildung oder ein Studium?

Manchmal ist es nicht leicht, sich zu _____ **(1)**. Unser kleiner Ratgeber kann dir vielleicht helfen.

Einige Fakten

• Ein Studium dauert oft _____ **(2)** als eine Ausbildung.

• Während der Ausbildung verdienst du schon Geld.

• Ein Studium bietet jedoch im Allgemeinen bessere _____ **(3)**.

Einige Fragen und Ideen

• Warum machst du nicht ein _____ **(4)**, bevor du eine Entscheidung triffst? Das kann bei der beruflichen Orientierung helfen.

• Was ist besser für dich: klar definierte Aufgaben oder selbstständiges Lernen? _____ **(5)** oder theoretisches Lernen?

• Was willst du _____ **(6)**? Gibt es ein konkretes Arbeitsfeld, das dich interessiert? Manche beruflichen _____ **(7)** lassen sich nur durch ein Studium realisieren, andere nur durch eine Ausbildung.

Wir wünschen dir viel Erfolg!

---

137. Mein Studium. Ordnen Sie zu.

1. Wo studierst du?

2. Ich bin im dritten

3. Ich hoffe, dass ich die Prüfung

4. Im Juni mache ich meinen

5. Ich lerne in der Bibliothek,

6. Ich besuche

7. Ich halte

a) bestanden habe.

b) ein Referat. Das Thema ist „Onlinemarketing".

c) weil ich mich dort gut konzentrieren kann.

d) Masterabschluss.

e) Semester meines Bachelorstudiums.

f) ein Seminar zum Thema „Unsere Gesellschaft im 21. Jahrhundert".

g) An der Technischen Universität Berlin.

Arbeitssuche und Bewerbung

138. Den Lebenslauf erzählen. Ergänzen Sie die Sätze.

k e n n e n g e l e r n t b e g o n n e n g e b o r e n b e s u c h t

g e s a m m e l t a b g e s c h l o s s e n g e m a c h t g e a r b e i t e t g e r e i s t

1990 bin ich in Freiburg _____ **(1)**.

In Offenburg habe ich das Gymnasium _____ **(2)** und 2008 Abitur

_____ **(3)**.

Nach dem Abitur bin ich durch Südamerika _____ **(4)**.

Anschließend habe ich ein Medizinstudium _____ **(5)**.

Während des Studiums habe ich in einem Krankenhaus _____ **(6)**.

Dort habe ich viele Erfahrungen _____ **(7)** und viele wichtige Methoden

aus der Praxis _____ **(8)**.

Letztes Jahr habe ich mein Studium _____ **(9)**.

139. Mein Job und meine Eigenschaften. Ergänzen Sie die Sätze und achten Sie auf
die richtige Form.

**Gehalt ▪ spannend ▪ zuverlässig ▪ Kollege ▪ teamfähig ▪
Arbeitszeit ▪ motiviert ▪ kreativ**

Das sind meine Eigenschaften:

Ich habe immer gute Ideen. Ich bin _____ **(1)**.

Ich kann gut mit anderen Menschen arbeiten. Ich bin _____ **(2)**.

Ich arbeite sehr gern und interessiere mich für meine Arbeit. Ich bin

_____ **(3)**.

Wenn ich sage, dass ich etwas machen werde, dann mache ich es auch. Ich bin

_____ **(4)**.

Das suche ich:

nette _____ **(5)**, ein gutes _____ **(6)**,

flexible _____ **(7)** und _____ **(8)** Aufgaben.

140. Das Bewerbungsschreiben. Was passt zusammen? Ordnen Sie zu.

1. In meinem Praktikum habe ich	**a)** Ihnen meine Bewerbungsunterlagen.
2. Ich habe eine Ausbildung	**b)** Englisch und Spanisch.
3. Ich spreche fließend	**c)** viele wichtige Erfahrungen gesammelt.
4. Ich würde gern	**d)** um die Stelle als Zahnarzthelferin.
5. Über die Einladung zu einem Gespräch	**e)** genau meinen Interessen.
6. Ich bewerbe mich	**f)** etwas Neues lernen.
7. Die Stelle entspricht	**g)** zur Bankkauffrau gemacht.
8. Wie besprochen schicke ich	**h)** würde ich mich sehr freuen.

141. Die Bewerbung. Bilden Sie Komposita und ergänzen Sie die Sätze.

**MAPPE • CHEFIN • ANGEBOT • GESPRÄCH • KENNTNISSE •
AUFENTHALT • BILDUNG • ZEUGNIS • ERFAHRUNG • VORSTELLUNG**

1. Der Bewerber hat gute Sprach_____ in Deutsch und Englisch.

2. Die Bewerbungs_____ muss einen Lebenslauf enthalten.

3. Junge Bewerber haben in der Regel noch nicht so viel Berufs_____.

4. Ein Auslands_____ während des Studiums ist gut für die Karriere.

5. Bereiten Sie jedes Vorstellungs_____ gut vor!

6. Seine Gehalts_____ war zu hoch.

7. Chiara war erfolgreich: Sie hat ein Stellen_____ erhalten.

8. Die Personal_____ begrüßte den neuen Mitarbeiter.

9. Berufliche Weiter_____ erhöht die Chancen auf dem Arbeitsmarkt.

10. Wenn Sie eine Firma verlassen, erhalten Sie ein Arbeits_____.

Fit für die Bewerbung
Eine Bewerbung in deutschsprachigen Ländern enthält normalerweise folgende Bestandteile:
▶ ein Anschreiben (Ihre Motivation, Ihre Interessen und Fähigkeiten)
▶ den tabellarischen Lebenslauf mit einem Bewerbungsfoto
▶ Schulzeugnisse und/oder Arbeitszeugnisse

142. Eine Stellenanzeige. Ergänzen Sie die Sätze.

**abgeschlossene ▪ mehrjährige ▪ Aufgaben ▪ Voraussetzungen ▪
Kenntnisse ▪ Fähigkeit ▪ erwartet ▪ Unterlagen**

**Wir suchen für unser Team
eine Mitarbeiterin oder einen Mitarbeiter im Bereich Verkauf**

Ihre _____ **(1)**:

- Produktpräsentationen bei Kunden vor Ort
- telefonische Gewinnung von Neukunden und Kundenbetreuung

Ihre _____ **(2)**:

- eine _____ **(3)** kaufmännische Ausbildung
- _____ **(4)** Berufserfahrung im Bereich Kundenbetreuung/
  Verkauf
- sehr gute _____ **(5)** aller gängigen PC-Programme
- die _____ **(6)**, andere Menschen zu überzeugen

Das _____ **(7) Sie:**

- ein gutes Gehalt
- ideale Arbeitsbedingungen
- optimale Karrierechancen

Bitte schicken Sie Ihre _____ **(8)** an: bewerbungen@mailforyou.com

---

Arbeits- und Berufswelt

143. Fragen und Antworten. Ordnen Sie zu.

1. Wo arbeiten Sie?

2. Was machst du beruflich?

3. Gefällt Ihnen Ihre Arbeit?

4. Was sind deine Arbeitszeiten?

5. Musst du immer *im Büro* arbeiten?

6. Arbeiten Sie in Vollzeit?

7. Verdienst du gut?

a) Ich bin Elektriker.

b) Ja, ich finde sie sehr interessant.

c) Ja, ich bin zufrieden mit dem Geld.

d) Meistens von 9:00 bis 18:00 Uhr.

e) Nein, ich arbeite in Teilzeit.

f) Bei Brinkmann & Co.

g) Nein, zweimal die Woche arbeite ich von
zu Hause aus.

144. Ordnen Sie die Berufe den Bildern zu. Bilden Sie immer auch die feminine Form.

Journalist • Arzt • Gärtner • Koch • Physiotherapeut • Busfahrer •
Ingenieur • Bäcker • Kellner

1. der _____ /   **2.** der _____ /   **3.** der _____ /

   die _____   die _____   die _____

4. der _____ /   **5.** der _____ /   **6.** der _____ /

   die _____   die _____   die _____

7. der _____ /   **8.** der _____ /   **9.** der _____ /

   die _____   die _____   die _____

Der Lehrer – die Lehrerin
Die feminine Form von Berufen bildet man meistens mit der Endung *-in* (Pl. *-innen*):
▶ der *Lehrer* – die *Lehrerin* (Pl. die *Lehrer**innen***)
Manchmal enthält die feminine Form auch einen Umlaut:
▶ der *Koch* – die *Köchin* (Pl. die *Köch**innen***)

Ausbildung und Arbeit

145. Arbeit und Beruf. Ergänzen Sie die Sätze.

> Ausbildung • verdienen • arbeitslos • Team • Arbeitsplatz •
> Freizeit • beruflich • Stelle

1. Was machst du _____? – Ich bin zurzeit _____:

Ich habe meinen Job verloren und suche etwas Neues.

2. Wie lange fährst du zu deinem _____? – Eine halbe Stunde.

3. Er macht eine _____ als Mechaniker.

4. Arbeitest du gern mit anderen zusammen? – Ja, meistens arbeiten wir im

_____. Das funktioniert gut.

5. Sie hat gerade ihre Ausbildung abgeschlossen; jetzt sucht sie eine _____.

6. Es ist mir wichtig, dass ich nicht nur arbeite und dass ich am Abend und am

Wochenende noch genug _____ habe.

7. Warum sucht er denn wieder eine neue Stelle? – Weil er mehr Geld

_____ möchte.

> **Berufe und Studium: Artikelgebrauch**
> Wenn man über Berufe oder Studienfächer spricht, benutzt man meistens keinen Artikel, z. B.:
> ▶ *Ich bin Pilot. Sie arbeitet als Köchin.*
> ▶ *Sie studiert Chemie. Er hat Geschichte studiert.*

146. Berufe: Tätigkeiten und Orte. Ordnen Sie zu.

Wer?	Was?	Wo?
1. Ein Krankenpfleger	**a)** repariert Maschinen	**h)** im Fotostudio.
2. Eine Kellnerin	**b)** reserviert Zimmer	**i)** im Büro.
3. Eine Sekretärin	**c)** kümmert sich um Patienten	**j)** im Krankenhaus.
4. Ein Lehrer	**d)** bringt Essen und Getränke	**k)** im Restaurant.
5. Ein Mechaniker	**e)** macht Fotos	**l)** an einer Schule.
6. Eine Rezeptionistin	**f)** plant Termine und schreibt E-Mails	**m)** in einer Werkstatt.
7. Ein Fotograf	**g)** unterrichtet	**n)** im Hotel.

147. Ein Firmengründer berichtet. Welches Wort passt?

Mag ich meine Arbeit? Die Antwort ist: ja!

Von | *Beruf* ● *Stelle* **(1)** | bin ich Finanzberater; zusammen mit einem Partner habe ich 2015 eine eigene Firma | *gegründet* ● *gebaut* **(2)** |. Mein Partner und ich sind | *Arbeitnehmer* ● *Arbeitgeber* **(3)** | für acht feste | *Mitarbeiter* ● *Kollegen* **(4)** |. Wir wachsen und im Moment haben wir drei freie | *Berufe* ● *Stellen* **(5)** |.

Meine Freundin ist Programmiererin, aber zurzeit hat sie | *keinen Beruf* ● *keine Stelle* **(6)** |. Sie war bei einer Firma fest | *angestellt* ● *selbstständig* **(7)** | und hat gut verdient. Dort hat es ihr aber nicht gefallen und sie hat | *gekündigt* ● *entlassen* **(8)** |. Sie überlegt auch, sich | *selbstständig* ● *angestellt* **(9)** | zu machen. Dafür hat sie schon eine tolle Geschäftsidee.

Im Büro

148. Mein Schreibtisch. Ordnen Sie die Wörter den Bildern zu.

der Stempel ● der Ordner ● der Bildschirm ● der Drucker ●
die Büroklammer ● die Tastatur ● die Maus ● der USB-Stick ● der Textmarker

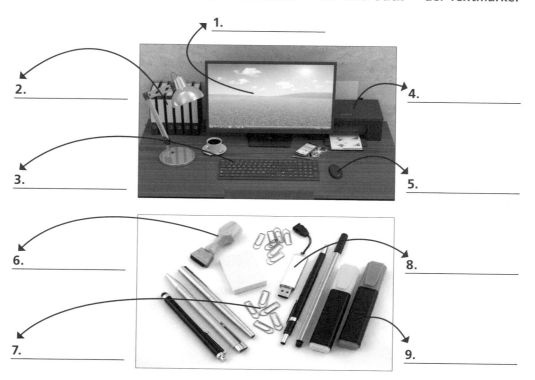

1. _____

2. _____

4. _____

3. _____

5. _____

6. _____

8. _____

7. _____

9. _____

149. Arbeitsalltag. Welches Verb passt nicht?

1. *eine Bestellung*   stornieren – ausmachen – abschicken – aufgeben

2. *einen Termin*   vereinbaren – absagen – verschieben – verstecken

3. *ein Formular*   scannen – kopieren – einfüllen – ausfüllen

4. *einen Kollegen*   einarbeiten – zurückrufen – beantworten – ansprechen

5. *ein Gespräch*   besuchen – führen – beenden – unterbrechen

6. *eine Nachricht*   hinterlassen – verlassen – löschen – abhören

7. *E-Mails*   empfangen – bekommen – schicken – abhören

8. *einen Brief*   drücken – lesen – schreiben – beantworten

9. *einen Drucker*   installieren – anmachen – ausschließen – ausmachen

150. In der Kantine. Ergänzen Sie die Sätze.

schönen Feierabend • unterstützen • Überstunden • vertreten • in Rente • übernehmen • Sitzung • Stress • Urlaub • Projekt

💬 Hallo Lilly, wir haben uns ja seit der letzten _____ **(1)** vor zwei Monaten

nicht mehr gesehen! Wie geht es dir?

💬 Es geht, danke. Die letzten Wochen habe ich viel zu viele _____ **(2)**

gemacht und hatte viel _____ **(3)**. Aber nächste Woche fahre ich nach

Spanien, ich habe endlich _____ **(4)**. – Ich freue mich schon sehr.

💬 Das klingt gut. Wer von den Kollegen wird dich _____ **(5)**?

💬 Max Brunner. Er wird fast alle meine Aufgaben _____ **(6)**.

Unsere Praktikantin wird ihn dabei _____ **(7)**.

💬 Warum nicht Dieter? Er arbeitet doch im gleichen _____ **(8)** wie du.

💬 Dieter ist im Februar 65 geworden und ist jetzt _____ **(9)**.

💬 Ach ja, habe ich vergessen. Na dann. Schönen Urlaub!

💬 Danke. Und dir einen _____ **(10)**!

📖 ***Wann sagt man „Schönen Feierabend!"?***
Wenn jemand mit der Arbeit (fast) fertig ist und seinen Arbeitsplatz (bald) verlässt (z. B. ein Kollege im Büro, eine Verkäuferin vor der Schließung des Geschäfts), wünscht man ihm zum Abschied einen schönen Feierabend.

151. Situationen im Büro. Wählen Sie immer zwei Sätze aus, die eine ähnliche Bedeutung haben.

1. „Herr Merz hat angerufen und bittet um Rückruf."
○ **a)** Herr Merz wartet auf Ihren Anruf.
○ **b)** Rufen Sie Herrn Merz bitte an.
○ **c)** Herr Merz ruft später wieder an.

2. „Die Sitzung fängt jetzt an. Kannst du Kathrin bitte Bescheid geben?"
○ **a)** Bitte gib Kathrin diese Dokumente.
○ **b)** Bitte sag es Kathrin.
○ **c)** Kannst du Kathrin informieren?

3. „Jonas ist krank. Er möchte das Treffen gern auf morgen verschieben."
○ **a)** Jonas möchte gern einen neuen Termin für das Treffen vereinbaren.
○ **b)** Jonas schlägt vor, dass das Treffen morgen stattfindet.
○ **c)** Jonas möchte das morgige Treffen absagen.

4. „Frau Baier ist leider nicht da. Möchten Sie eine Nachricht hinterlassen?"
○ **a)** Möchten Sie, dass ich Frau Baier etwas ausrichte?
○ **b)** Hat Frau Baier eine Nachricht für Sie?
○ **c)** Soll ich Frau Baier etwas mitteilen?

152. Wörter wiederholen: Finden Sie im Wortgitter acht Wörter zum Wortfeld *Ausbildung* und *Arbeitswelt*. Sie haben alle Wörter in diesem Kapitel schon kennengelernt.

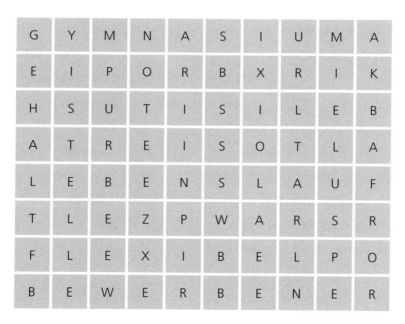

G	Y	M	N	A	S	I	U	M	A
E	I	P	O	R	B	X	R	I	K
H	S	U	T	I	S	I	L	E	B
A	T	R	E	I	S	O	T	L	A
L	E	B	E	N	S	L	A	U	F
T	L	E	Z	P	W	A	R	S	R
F	L	E	X	I	B	E	L	P	O
B	E	W	E	R	B	E	N	E	R

Im Supermarkt

153. Im Supermarkt. Was zeigen die Fotos? Ordnen Sie die Wörter aus der Wortschlange den Bildern zu und ergänzen Sie die Artikel.

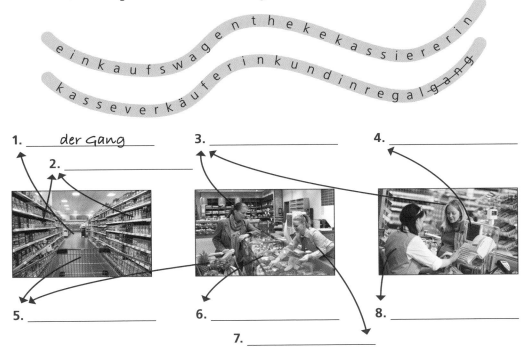

1. _____der Gang_____   3. _____   4. _____

    2. _____

5. _____   6. _____   8. _____

            7. _____

154. An der Kasse. Was passt nicht in die Reihe?

1. *Der Kunde zahlt*   in bar – mit Karte – mit Bargeld – mit Wechselgeld.

2. *An der Kasse bekommt man* einen Kassenzettel – einen Kassenbon – ein Rezept.

3. *Die Äpfel sind*   reduziert – billiger – im Sonderangebot – teuer.

4. *Mit dem Gutschein ist Parken* kostenlos – billig – umsonst – gratis.

5. *Der Kunde sagt:*   Gute Nacht! – Schönen Tag noch! – Danke!

6. *Die Verkäuferin sagt:*   Das kostet 3,50 €. – Das macht 14 €. –

                              Ich bekomme 20 €. – Ich bezahle 20 €.

7. *Der Kunde muss die PIN*   eintippen – eingeben – zugeben.

8. *Der Kunde packt die Waren* in die Tüte – in den Schrank – in die Einkaufstasche.

155. Die Einkaufsliste. Ergänzen Sie den Dialog und achten Sie auf die richtige Form.

**Einkaufstasche • Markt • einkaufen • Kilo •
brauchen • Abendessen • Liter • bekommen**

🗨 Ich gehe schnell _____ (1). Was _____ (2) wir?

💬 Ich glaube, wir haben keine Butter mehr. Milch ist auch nicht mehr da, kauf bitte

zwei _____ (3).

🗨 Okay, ist notiert. Soll ich noch etwas für das _____ (4) holen?

💬 Ja, bitte bring ein halbes _____ (5) Rindfleisch mit. Das Salz ist auch

aus. Gemüse haben wir; ich war gestern auf dem _____ (6).

🗨 Butter, Milch, Salz. Das Fleisch kaufe ich beim Metzger. Da _____ (7)

ich es frischer. Bis später!

💬 Hier, nimm die _____ (8) mit und vergiss nicht die

Pfandflaschen und die Einkaufsliste. Bis später!

156. Wo kaufe ich ein? Ordnen Sie die Wörter der richtigen Erklärung zu.

1. Hier kauft man Brot, Brötchen und Kuchen.

2. Hier kauft man Fleisch und Wurst.

3. Hier kauft man Zeitungen, Getränke, Süßigkeiten
und Zigaretten.

4. Er findet meist ein- bis zweimal pro Woche statt.
Man kann hier besonders gut frische Lebensmittel kaufen.

5. Hier gibt es eine große Auswahl an Kosmetikartikeln und viele
Produkte für den Alltag wie Wasch- und Putzmittel.

6. Hier kauft man Medikamente.

a) die Apotheke

b) die Bäckerei

c) die Metzgerei

d) der Markt

e) der Kiosk

f) die Drogerie

> **Nomen auf -ei und -ie**
> Nomen mit der Endung -ei und Nomen mit der Endung -ie sind feminin:
> ▶ *die Metzgerei, die Bäckerei, die Bücherei ...*
> ▶ *die Drogerie, die Fotografie, die Demokratie ...*

157. Wo kaufe ich ein? Bilden Sie Komposita und ordnen Sie sie den Bildern zu.

FLOH ▪ TANK ▪ BIO ▪ HANDLUNG ▪ STELLE ▪ EINKAUFS ▪ HÄNDLER ▪
MARKT ▪ ZENTRUM ▪ BUCH ▪ OBST ▪ LADEN

1. im _____

2. beim _____

3. auf dem _____

4. im _____

5. in der _____

6. an der _____

158. Geld und Preise. Welche Möglichkeiten passen? Es passen immer zwei.

1. Die T-Shirts sind nicht teuer.
- ◯ **a)** Sie sind gratis.
- ◯ **b)** Sie sind preiswert.
- ◯ **c)** Sie sind günstig.

2. Unsere Preise sind
- ◯ **a)** niedrig.
- ◯ **b)** umsonst.
- ◯ **c)** tief.

3. Ich habe heute leider viel Geld
- ◯ **a)** eingegeben.
- ◯ **b)** ausgegeben.
- ◯ **c)** bezahlt.

4. Es kostet 10 % mehr. Der Preis
- ◯ **a)** ist gefallen.
- ◯ **b)** ist höher.
- ◯ **c)** ist gestiegen.

159. Wir gehen einkaufen. Diese Sätze hört man oft. Welche bedeuten dasselbe?

1. Sie sind dran.

2. Die Schlange ist lang.

3. Die Kasse ist nicht besetzt.

4. Heute keine Kartenzahlung.

5. Sammeln Sie Bonuspunkte?

6. Nehmen wir den Fahrstuhl?

7. Das ist leider ausverkauft.

a) Nehmen Sie an unserer Rabattaktion teil?

b) Das Produkt gibt es im Moment nicht.

c) Wir müssen lange anstehen.

d) Sie sind an der Reihe.

e) Hier kann man nicht bezahlen.

f) Man kann nur mit Bargeld bezahlen.

g) Wir können den Aufzug nehmen.

Im Kaufhaus

160. Im Kaufhaus. Wo kann ich was kaufen? Bilden Sie Komposita und ordnen Sie die Stockwerke zu.

MITTEL • GERÄTE • WÄSCHE • MODE *(3x)* • ARTIKEL • DIENST

Im Erdgeschoss: Lebens_____ **(1)** und Schreibwaren

Im ersten Stock: Damen_____ **(2)**

und Kosmetik_____ **(3)**

Im zweiten Stock: Herren_____ **(4)** und Schuhe

Im dritten Stock: Kinder_____ **(5)**, Spielzeug und Bücher

Im vierten Stock: Elektro_____ **(6)**, Haushaltswaren,

Bett_____ **(7)**

Im fünften Stock: Restaurant (Selbstbedienung), Kunden_____ **(8)**,

Computer und Software

9. Ich möchte einen Kaffee trinken. $\longrightarrow$ *im fünften Stock*

10. Herr Gärtner braucht eine neue Hose. $\longrightarrow$ _____

11. Karin möchte einen Lippenstift kaufen. $\longrightarrow$ _____

12. Kai braucht Stifte und Papier. $\longrightarrow$ _____

13. Thomas möchte für seine Tochter Kleidung kaufen. $\longrightarrow$ _____

14. Irina braucht einen neuen Rasierapparat. $\longrightarrow$ _____

15. Claudia sucht eine Jacke für den Sommer. $\longrightarrow$ _____

Einkaufen und Geschäfte

161. Shoppen gehen. Ergänzen Sie den Dialog.

anprobieren • Kasse • einpacken • Schaufenster •
anstellen • Angebot • Umkleidekabinen

🖤 Ich habe alles gefunden, was ich brauche. Gehen wir zur _____ (1)?

💬 Nein, ich muss noch die Hose _____ (2).

🖤 Ach ja. Ist das die Hose aus dem _____ (3)?

💬 Ja, genau. Danach würde ich gern noch in die Kinderabteilung gehen. Es ist doch

Schlussverkauf und alles ist im _____ (4).

🖤 Okay, ich kann mich ja schon einmal _____ (5); die Schlange ist ganz

schön lang. Dahinten sind die _____ (6). Da kannst du die

Hose anprobieren.

💬 Gut, bis gleich. Kannst du das Geschenk für Karim bitte _____ (7)

lassen?

Ein schönes Wort: der Schnäppchenjäger/die Schnäppchenjägerin
Ein Schnäppchen ist ein Produkt zu einem sehr billigen Preis. Ein Schnäppchenjäger/eine
Schnäppchenjägerin ist eine Person, die sehr gern Produkte kauft, die im Angebot sind.

---

162. Der Kunde ist König. Wie kann man die Sätze beenden? Manchmal gibt es zwei
Möglichkeiten.

1. Ich habe diese Kaffeemaschine bei Ihnen
gekauft. Leider funktioniert sie nicht.
Ich möchte sie gern
  ○ **a)** zurückgeben.
  ○ **b)** umtauschen.
  ○ **c)** wechseln.

2. Die gelieferte Ware war leider kaputt.
Wir haben sie sofort
  ○ **a)** garantiert.
  ○ **b)** reklamiert.
  ○ **c)** zurückgeschickt.

3. Diese Uhr war schon nach zwei
Wochen kaputt. Ich möchte
  ○ **a)** sie zurücknehmen.
  ○ **b)** sie reklamieren.
  ○ **c)** mich beschweren.

4. Für dieses Produkt bieten wir
zwei Jahre
  ○ **a)** Garantie.
  ○ **b)** Sicherheit.
  ○ **c)** Reklamation.

163. Werbung – *wir sind die Besten.* Ergänzen Sie die Werbetexte.

1. Unseren Profis können Sie jede Frage stellen: Hier bekommen Sie kompetente

   _____.

2. Schnelle _____ – innerhalb von vier Tagen an Ihrer Haustür.

3. Neueste _____ – von Topdesignern aus Italien und Frankreich.

4. Lange _____ für unsere Elektrogeräte – bis zu drei Jahren.

5. Beste _____ – wir benutzen nur ausgewählte Produkte,

   die ständig kontrolliert werden.

6. Niedrige _____ – vergleichen Sie: So günstig finden Sie es nirgendwo!

Kleidung

164. Kleidung beschreiben. Suchen Sie Gegensätze in der Wortschlange und ordnen Sie sie zu.

1. schick   ⟷ _____*sportlich*_____   5. bequem ⟷ _____

2. sauber   ⟷ _____   6. schön   ⟷ _____

3. altmodisch ⟷ _____   7. lang   ⟷ _____

4. eng   ⟷ _____   8. hellblau ⟷ _____

Einkaufen und Geschäfte

165. Welche Kleidungsstücke sind auf den Fotos abgebildet? Ordnen Sie die
Kleidungsstücke zu.

der Mantel ▪ der Rock ▪ das Hemd ▪ die Jacke ▪ die Hose ▪ das Kleid ▪
das T-Shirt ▪ die Bluse ▪ der Pullover ▪ der Turnschuh ▪ die Socke ▪
der Stiefel ▪ der Anzug ▪ der Hut

1. _____

2. _____

3. _____

4. _____

5. _____

6. _____

7. _____

8. _____

9. _____

10. _____

11. _____

12. _____

13. _____

14. _____

166. Kleidung anprobieren. Ergänzen Sie die Wörter im Dialog und achten Sie auf die richtige Form.

stehen • ~~gefallen~~ • nehmen • Nummer • probieren • weit • tragen

🗨 Was denkst du? _____*Gefällt*_____ **(1)** dir das Kleid?

🗨 Ja, es _____ **(2)** dir gut. Welche Größe ist das?

🗨 42.

🗨 Du könntest auch eine _____ **(3)** kleiner nehmen. Es ist etwas

_____ **(4)**.

🗨 40? Nein, das passt mir nicht.

🗨 Doch, komm, _____ **(5)** das mal! Ich hole es dir in Größe 40.

(5 Minuten später)

🗨 Wow, du siehst fantastisch aus! Das musst du _____ **(6)**.

🗨 Ja, danke, du hast recht: Das Kleid passt mir wirklich gut.

🗨 Schau mal bei mir: Wie findest du die Bluse?

🗨 In Ordnung. Aber die davor war besser. Diese hier ist etwas einfach.

Du _____ **(7)** doch gern bunte Kleidung.

🗨 Ja, das stimmt. Ich brauche allerdings etwas für die Arbeit.

> **Verben mit Dativ**
> gefallen – passen – stehen: Diese Verben werden mit der Person im Dativ *(mir, dir ...)* verwendet.
> ▸ gefallen: *Die Bluse gefällt* **mir.** *Wie gefallen* **Ihnen** *die Schuhe?*
> ▸ stehen: *Das steht* **dir** *gut.* **Ihm** *stehen Hüte.*
> ▸ passen: *Das passt* **mir** *nicht, das ist zu klein.*

167. Die Welt der Kleidung. Welches Wort passt nicht in die Reihe?

1. *Lange Kleider sind*   ein Brauch – in – in Mode – ein Trend.

2. *eine Jeans*   tragen – anziehen – putzen – anhaben

3. *die Schuhe*   anziehen – anprobieren – putzen – bügeln – ausziehen

4. *die Bekleidung:*   die Kleidung – die Röcke – die Größe – die Kleider

5. *eine Hose:*   die Größe – das Gewicht – das Material – die Farbe

168. Eine Onlinebestellung. Ergänzen Sie die E-Mail-Bestätigung und achten Sie auf die richtige Form.

**zurückgeben • gebraucht • Lieferdatum • Bestellung • Gesamtpreis •
Leder • Einzelpreis • Baumwolle • kostenlos • Rechnungsadresse**

Online einkaufen – einfach und bequem

Liebe Kundin, lieber Kunde,

vielen Dank für Ihre _____ **(1)**. Wir werden Sie informieren, sobald Ihre Artikel versandt werden.

Bestelldetails

Artikel 1: modische Sommerbluse mit kurzen Ärmeln	Artikel 2: elegante Reisetasche
Bestellnummer: A 998 678	Bestellnummer: A 234 543
Material: _____ **(2)**	Material: _____ **(4)**
Farbe: grün	Farbe: braun
Größe: 38	
Menge: 1	Menge: 1
_____ **(3)**: 29,99 €	Einzelpreis: 59,99 €
Zustand: neu	Zustand: _____ **(5)**
Marke: Fashiontogo	Marke: Reiseglück

_____ **(6)**: 25.–28. Juli

_____ **(7)**: Klaustaler Str. 123, 71032 Böblingen

Zwischensumme: 89,98 €

Verpackung und Versand: 5,00 €

_____ **(8)**: 94,98 €

Möchten Sie einen Artikel aus Ihrer Bestellung _____ **(9)**?

Dann klicken Sie in Ihrem Kundenkonto auf „Meine Bestellung".

Dort finden Sie auch alle Informationen zur _____ **(10)** Rücksendung.

---

169. Ordnen Sie die Kleidungsstücke den Bildern zu.

der Blazer • **die Regenjacke** • **der Gürtel** • **der Schlafanzug** •
der Jogginganzug • **die Krawatte**

1. _____   2. _____   3. _____

4. _____   5. _____   6. _____

170. Wäsche waschen. Ergänzen Sie die Sätze mit den Verben im Infinitiv.

zusammenlegen • **reinigen** • **bügeln** • **waschen** • **aufhängen** •
stecken • **trocknen**

1. Die Wäsche in die Waschmaschine _____,

2. bei 30 Grad _____,

3. die nasse Wäsche _____ und _____ lassen,

4. die trockene Wäsche _____,

5. zum Schluss die Wäsche _____ und in den Schrank legen.

6. Einige Kleidungsstücke kann man nicht selbst waschen: Man muss sie

_____ lassen.

171. Kleidungsstücke. Ordnen Sie Wörter aus der Wortschlange in die Tabelle ein und ergänzen Sie die Artikel.

unterhoseskianzugbikinisandalenbadeanzug
schalbhmantelslipbadehosestrumpfhose
boxershortshandschuhunterhemdmütze

am Strand	im Winter	unter der Kleidung

172. Wörter wiederholen: Ergänzen Sie die Sätze und achten Sie auf die richtige Form. Sie finden alle Wörter in den Übungen **153** bis **170**.

Die beliebtesten Einkaufsstraßen in Deutschland. Heute stellen wir Ihnen die Mönckebergstraße in Hamburg vor.

Egal, was Sie mögen und was Ihnen ge_____ **(1)**: Die Hamburger

Mönckebergstraße ist ein Muss für Shoppingfans. Man findet hier überwiegend Ketten

mit bekannten Marken und große Kauf_____ **(2)**. Doch in den

Seitenstraßen gibt es auch kleine Boutiquen und Designerlä_____ **(3)**

für trendige Mode: ein edles Kl_____ **(4)** für die Dame oder exquisite

An_____**(5)** und Krawatten für den Herrn? Wer preisw_____ **(6)**

Angebote sucht, ist hier falsch. Doch garantieren wir, dass Sie ohne lange

Schl_____ **(7)** in Ruhe schauen und besonders schöne und

sch_____ **(8)** Kleidung finden können. Zwischen Passagen, Einkaufszentren

und zahlreichen Cafés macht es einfach Spaß zu sh_____ **(9)**.

Rund um die Alster gibt es auch eine große Auswahl an Restaurants. Im Juli ist

Sommer_____ **(10)** und es erwarten Sie viele Sonderangebote.

Accessoires

173. (Körper-)Schmuck und Uhren. Ordnen Sie die Wörter den Bildern zu und ergänzen Sie die Artikel.

Ohrring ▪ **Tattoo** ▪ **Uhr** ▪ **Ring** ▪ **Kette** ▪ **Perle**

1. _____ 2. _____ 3. _____

4. _____ 5. _____ 6. _____

174. In meiner Handtasche. Ergänzen Sie die Wörter aus der Wortschlange.

1. Für meine Zigarette brauche ich ein F_____

oder _____.

2. Wenn es regnet, brauche ich einen _____.

3. Ich möchte meine Nase putzen. Ich nehme ein _____.

4. Hoffentlich habe ich meine _____ nicht vergessen,

sonst kann ich die Tür nicht öffnen.

5. Das Wetter ist schön, ich brauche meine _____.

6. Mein Geld ist in meinem _____.

175. Dinge des Alltags. Welches Wort passt nicht in die Reihe?

1. Gold – Silber – Holz – Bronze

2. Wolle – Papier – Seide – Baumwolle

3. Koffer – Rucksack – Reisetasche – Brieftasche

4. Geldbeutel – Portemonnaie – Wechselgeld – Geldbörse

5. Knopf – Nagel – Faden – Nadel

176. Wörter wiederholen: Ergänzen Sie das Mindmap zum Wortfeld *Einkaufen*. Sie haben alle Wörter in diesem Kapitel schon kennengelernt.

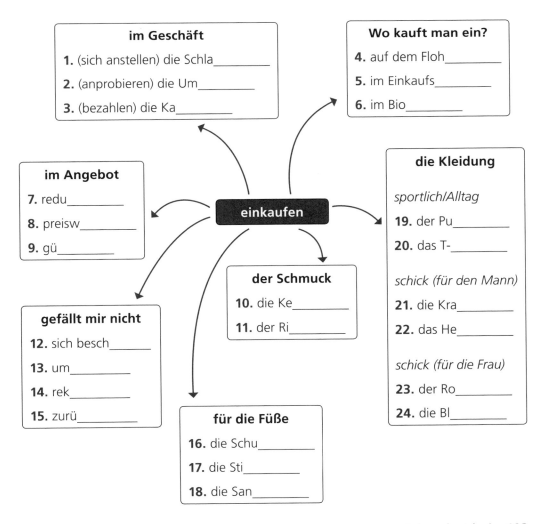

im Geschäft

1. (sich anstellen) die Schla_____

2. (anprobieren) die Um_____

3. (bezahlen) die Ka_____

Wo kauft man ein?

4. auf dem Floh_____

5. im Einkaufs_____

6. im Bio_____

im Angebot

7. redu_____

8. preisw_____

9. gü_____

einkaufen

die Kleidung

sportlich/Alltag

19. der Pu_____

20. das T-_____

schick (für den Mann)

21. die Kra_____

22. das He_____

schick (für die Frau)

23. der Ro_____

24. die Bl_____

der Schmuck

10. die Ke_____

11. der Ri_____

gefällt mir nicht

12. sich besch_____

13. um_____

14. rek_____

15. zurü_____

für die Füße

16. die Schu_____

17. die Sti_____

18. die San_____

Freizeit und Hobbys

177. Was kann man in der Freizeit machen? Suchen Sie die Verben in der
Wortschlange und ordnen Sie sie den Bildern zu.

telefonierenlesenfernsehenmalenklavierspielen
fotografierenspazierengehenbastelnmusikhören

1. _____   2. _____   3. _____

   _____   _____   _____

4. _____   5. _____   6. _____

   _____   _____   _____

7. _____   8. _____   9. _____

   _____   _____   _____

178. In meiner Freizeit. Ergänzen Sie die Sätze und achten Sie auf die richtige Form.

**Freizeit ▪ Hobby ▪ Idee ▪ Konzert ▪ am liebsten ▪
(sich) interessieren (für) ▪ spielen** *(2 x)*

🗨 Was machst du in deiner _____ **(1)**?

🗨 Ich habe viele _____ **(2)**: Ich male und fotografiere sehr

   gern und ich _____ **(3)** mich für Musik.

🗨 _____ **(4)** du ein Instrument?

🗨 Nein, aber ich höre oft Musik und ich singe in einem Chor. Und du?

🗨 Ich _____ **(5)** Gitarre und ich höre gern Jazz und House.

🗨 Jazz mag ich auch, aber _____ **(6)** höre ich klassische Musik.

🗨 Vielleicht können wir zusammen in ein _____ **(7)** gehen?

🗨 Das ist eine gute _____ **(8)**! Ich schau mal, was gerade läuft.

179. Was ist Ihr Hobby? Ordnen Sie die Wörter aus der Wortschlange
in die Tabelle ein.

zeitung fußball buch err radio karten musik
klavier handball comics hörbücher

Ich spiele …	Ich lese …	Ich höre …

180. Wählen Sie bei jeder Aufgabe die beiden Antworten, die am besten passen.

1. Wo kann man Filme sehen?
- ○ **a)** Im Kino.
- ○ **b)** Im Radio.
- ○ **c)** Im Fernsehen.

2. Wo kann man fernsehen?
- ○ **a)** Zu Hause.
- ○ **b)** Bei den Eltern.
- ○ **c)** In der Sporthalle.

3. Wo kann man Bücher ausleihen?
- ○ **a)** In der Stadtbücherei.
- ○ **b)** Im Buchgeschäft.
- ○ **c)** In der Universitätsbibliothek.

4. Wo kann man Ball spielen?
- ○ **a)** Auf dem Spielplatz.
- ○ **b)** Im Badezimmer.
- ○ **c)** In der Sporthalle.

5. Wo kann man ein Konzert hören?
- ○ **a)** In der Konzerthalle.
- ○ **b)** Im Stadion.
- ○ **c)** Im Krankenhaus.

6. Wo kann man schwimmen?
- ○ **a)** Im Meer.
- ○ **b)** Im See.
- ○ **c)** Im Badezimmer.

181. Welches Wort oder welche Verbindung passt nicht in die Reihe?

1. Fußball spielen – Tennis spielen – Rad fahren – Tischtennis spielen

2. Kino – Buchhandlung – Theater – Konzerthalle

3. Pop – Rock – Jazz – Song – Techno – Rap – Klassik

4. Spielfilm – Nachrichten – Fernsehsendung – Unterricht

5. Schach – Karten – Tanz – Monopoly

6. Pilates machen – lesen – Yoga machen – Judo trainieren

7. Klavier spielen – Geige spielen – Handball spielen – Gitarre spielen

8. laufen – joggen – reiten – wandern

Instrumente spielen und Sport treiben: Artikelgebrauch
In den Verbindungen von *spielen/machen/trainieren* + Sportart (*Fußball spielen*) oder *spielen* + Instrument (*Klavier spielen*) benutzt man keinen Artikel, z. B.:
▸ *Ich mache Yoga.*
▸ *Franziska trainiert Judo.*
▸ *Tom spielt Fußball.*
▸ *Spielst du Klavier?*

Freizeit, Sport, Unterhaltung

182. Wie kann man anders sagen?

1. Er ist ab Freitag *im Urlaub.*

2. Wir haben *das Wochenende* am Meer verbracht.

3. Ich wusste nicht, dass Sie so gern *Fotos machen.*

4. Ich würde gern diese Stadt *besuchen.*

5. Hast du schon die *Tickets* für das Konzert reserviert?

6. Das ist *meine liebste Freizeitbeschäftigung.*

7. Das bedeutet also, dass Sie am Freitagnachmittag *nicht arbeiten müssen?*

a) besichtigen

b) in den Ferien

c) Samstag und Sonntag

d) Eintrittskarten

e) mein Lieblingshobby

f) frei haben

g) fotografieren

183. Hobbys. Ordnen Sie in jedem Kasten die Nomen den Verben zu.

1. Lieder	**a)** zeichnen
2. Comics	**b)** treiben
3. Sport	**c)** singen

4. Bilder	**d)** wandern
5. in den Bergen	**e)** spielen
6. ein Instrument	**f)** malen

7. Noten	**g)** spielen
8. mit Puppen	**h)** machen
9. einen Spaziergang	**i)** lesen

10. Salsa	**j)** fahren
11. Motorrad	**k)** tanzen
12. Computer	**l)** spielen

13. Briefmarken / alte Postkarten	**m)** spielen
14. ein Pferd	**n)** sammeln
15. Hockey	**o)** reiten

184. Welche Aktivitäten aus Übung **183** kann man den drei Bildern zuordnen?
Ergänzen Sie die Sätze und achten Sie auf die richtige Form.

1. Sie _____

_____.

2. Das Mädchen _____

mit der _____.

3. Die Frau _____

ein _____.

185. Was braucht man, um …? Ordnen Sie zu.

1. Was braucht man, um ein Handy aufzuladen?

2. Was braucht man, um Tennis zu spielen?

3. Was braucht man zum Musizieren?

4. Was braucht man zum Malen und zum Zeichnen?

5. Was braucht man zum Basteln?

6. Was braucht man, um Fotos machen zu können?

a) Schläger, Ball

b) Instrumente, Noten

c) Papier, Buntstifte, Farben

d) ein Ladegerät

e) einen Fotoapparat

f) Schere, Papier, Klebstoff

186. Ergänzen Sie die Sätze mit den Wörtern aus der Wortschlange und achten Sie
auf die richtige Form.

singenreitenspazierengehenverbringenchorspielzeug

1. Meine Tochter interessiert sich nicht für _____; am liebsten

_____ sie ihr Pferd und _____ mit uns im

Wald _____. – Auch meine Tochter

_____ ihre Freizeit am liebsten draußen.

2. Wir haben eine Menge Spaß in unserem _____. Hast du nicht

Lust, einmal mitzukommen? – Ich würde gern, aber ich kann nicht gut

_____.

Freizeit, Sport, Unterhaltung

187. Bilden Sie Komposita und ergänzen Sie die Sätze.

FREI • APPARAT • TIPPS • FEIER • FOTOS • ZEIT • FOTO • ABEND • URLAUBS • KINO

1. Seit ich nur halbtags arbeite, habe ich mehr _____ und treffe

mich viel häufiger mit Freunden.

2. Wann hast du heute _____? – Erst um 19 Uhr, wir müssen heute

wegen einer Besprechung länger im Büro bleiben.

3. Elke und Peter sind aus dem Urlaub zurück und wollen uns ihre Bilder zeigen. –

Warum müssen wir uns eigentlich jedes Jahr ihre _____ ansehen?

4. Ich würde das Spiel gern fotografieren, aber ich habe meinen

_____ vergessen. – Du kannst doch dein Handy benutzen!

5. Leonie würde am Samstag gern einen Film mit uns sehen. – Schau mal in die Zeitung;

es gibt heute ein paar interessante _____ für Kinder.

188. Welches Wort passt nicht in die Reihe?

1. zeichnen – malen – fernsehen – basteln

2. Musik hören – musizieren – kochen – singen

3. Kartenspiel – Beispiel – Schach – Backgammon

4. Puppe – Kind – Puzzle – Ball

5. Bilderbuch – Audiodatei – Roman – Krimi – Comic

6. Notebook – Buch – Smartphone – Tablet – MP3-Player

7. Zeitung – Zeitschrift – Schreibheft – Illustrierte

8. Hobby – Freizeitbeschäftigung – Tanzkurs – Freizeitaktivität

9. sich ausruhen – laufen – schlafen – sich erholen

10. Ballett – Kabarett – Samba – Walzer

11. Foto – Bild – Zeichnung – Farbe

12. Comic – Buch – Roman – Film – E-Book

Sport

189. Sportarten. Ergänzen Sie die Sätze mit den Wörtern aus der Wortschlange und achten Sie auf die richtige Form.

rudernlaufenfußballsegelnschwimmen

1. Machst du gern Sport? – Ja, ich _____ jeden Tag eine Stunde durch den Park.

2. Wir machen jeden Sommer Urlaub an der Küste. So können die Kinder im Meer

_____ und am Strand spielen.

3. Meine Frau und ich wollen am Wochenende _____. Wir haben ein neues Segelboot gekauft.

4. Meine Arme tun weh: Ich habe den ganzen Nachmittag _____.

5. Wo spielst du _____? – Bei einem Frankfurter Verein.

ⓘ

Sportvereine
In Deutschland gibt es zahlreiche Sportvereine und Fitnessstudios. Viele Menschen trainieren dort regelmäßig: Sie sind Mitglied und zahlen einen Mitgliedsbeitrag.

190. Ergänzen Sie die Sätze und achten Sie auf die richtige Form.

gewinnen • teilnehmen • Schwimmbad • Team • Mannschaft • Laufübung

1. _____ denn Markus und Olaf am Spiel nicht _____? – Sie sind nicht mehr dabei; sie spielen jetzt für ein anderes _____.

2. Unsere _____ ist dieses Jahr richtig gut! – Ja, ich glaube, dass wir mit einem so starken Team _____ können.

3. Wenn es im Sommer warm ist, bringe ich meine Kinder oft ins

_____. Sie lieben beide das Wasser.

4. Der Sportlehrer hat uns eine neue _____ gezeigt.

191. Sportler, Orte, Sportgeräte. Bilden Sie Komposita und ergänzen Sie die Sätze.

1. der *Sport* + die *Halle*   Unsere Kinder trainieren in der _____.

2. das *Boot* + *segeln*   Ich habe ein neues _____ gekauft.

3. der *Fußball* + das *Stadion*   Ich war noch nie in einem _____.

4. *schwimmen* + das *Bad*   Mein Sohn geht zweimal in der Woche ins

_____.

5. der *Spieler* + der *Handball*   Wir haben zwei neue _____

im Team.

6. das *Tennis* + der *Ball*   Wir konnten den _____ nicht finden.

7. der *Verein* + der *Handball*   Heute haben wir eine Feier in unserem

_____.

8. der *Platz* + das *Tennis*   Wir treffen uns immer auf dem _____.

192. Sport treiben. Welche Sportarten zeigen die Bilder?

das Tauchen • das Yoga • das Joggen • das Surfen

1. _____

2. _____

3. _____

4. _____

Das Laufen, das Schwimmen, das Surfen
Nomen, die von Infinitiven abgeleitet sind, sind immer Neutra (Artikel *das*).
▶ *schwimmen* > *das Schwimmen*

193. Suchen Sie Gegensätze. Achten Sie auf die richtige Form.

unsportlich • unfair • ~~fangen~~ • verlieren • Gastspiel • Glück • Sieg

1. Ich habe den Ball in deine Richtung *geworfen*, aber du hast ihn nicht __*gefangen*__.

2. Und, habt ihr das Spiel *gewonnen*? Nein, wir haben leider _____.

3. Man sagt: *Pech* im Spiel, _____ in der Liebe.

4. Mein Bruder ist ein *sportlicher* Typ; ich bin dagegen eher _____:
Am liebsten liege ich auf dem Sofa und lese Comics.

5. Ich finde, die Entscheidung des Schiedsrichters war hart, aber *fair*. – Ich fand sie eher
_____; unsere Mannschaft hat eine so schwere Strafe nicht verdient.

6. Im letzten Jahr hat das Team drei _____ gefeiert, aber heute hat es eine
Niederlage erlitten.

7. Bei *Heimspielen* schneidet unsere Mannschaft viel besser als bei
_____ ab.

194. Ergänzen Sie die Minidialoge und achten Sie auf die richtige Form.

**die Führung • das Surfbrett • der Eiskunstlauf • das Sportgeschäft •
das Ergebnis • das Tor • rudern • spielen • stehen • Ski fahren • trainieren**

1. Ich muss noch neue Schlittschuhe für Lara kaufen; sie macht jetzt _____. –
Schlittschuhe finden wir bestimmt in diesem _____.

2. Wie _____ das Spiel? – Die Dortmunder Mannschaft hat gerade ein
_____ geschossen und ist in _____ gegangen.

3. Wie ist das _____? – 3 : 1.

4. Stimmt es, dass du früher viel Sport gemacht hast? – Ja, ich habe gesegelt,
_____ und Volleyball _____. Aber dann hatte
ich einen Unfall und seitdem _____ ich nicht mehr.

5. Er surft gern und kauft sich alle sechs Monate ein neues _____. –
Das muss ganz schön teuer sein.

6. Seid ihr am Wochenende hier geblieben? – Ja. Eigentlich wollten wir
_____, aber es lag kein Schnee in den Bergen.

195. Ballsport, Eissport, Wintersport ... Ordnen Sie die Sportarten in die Tabelle ein.

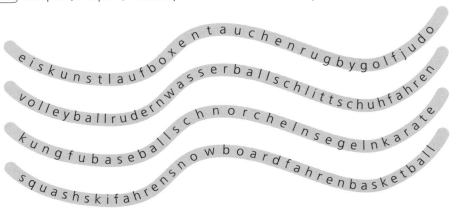

eiskunstlaufboxentauchenrugbygolfjudo
volleyballrudernwasserballschlittschuhfahren
kungfubaseballschnorchelnsegelnkarate
squashskifahrensnowboardfahrenbasketball

Kampfsportarten	Eissport und Wintersport

Ballsport	Wassersport

Kultur: Kino, Theater, Museen ...

196. Freizeit und Kultur. Ergänzen Sie die Sätze und achten Sie auf die richtige Form.

besuchen • stattfinden • ~~kaufen~~ • dauern • laufen •
(sich) erkundigen • lesen

1. Kannst du morgen die Theaterkarten __*kaufen*__? – Ich habe keine Zeit, ich arbeite bis 19 Uhr.

2. Sehr geehrte Zuschauerinnen und Zuschauer, aus technischen Gründen wird das Konzert erst morgen um 20 Uhr _____.

3. Welcher Film _____ heute im Odeon? – Ich weiß nicht, ich habe das Kinoprogramm nicht _____ und mein Internetzugang funktioniert nicht.

4. Hast du schon mal dieses Museum _____? – Nein, noch nicht.

5. Wie lange _____ die Pause? – 15 Minuten, glaube ich.

6. Wann genau beginnt der Film? – Ich weiß nicht, ich muss mich noch

_____.

197. Im Theater, Kino, Museum – wie lautet das Gegenteil?

vorn • privat • frei • interessant • geschlossen • Eingang •
Schwarz-Weiß-Film • Sitzplatz

1. Ich sitze im Kino gern ganz *hinten*. – Und ich sitze lieber _____; so kann ich besser sehen.

2. (Vor dem Theater:) Entschuldigung, ist das der *Ausgang*? – Nein, das ist der

_____.

3. Ist der Eintritt _____ oder *kostenpflichtig*?

4. Ist das Museum noch *geöffnet*? – Nein, es ist leider schon _____.

5. War das Theaterstück _____? – Ich fand es eher *langweilig*.

6. Haben wir einen _____? – Nein, es gab leider nur noch *Stehplätze*.

7. Ist das ein *Farbfilm*? – Nein, das ist ein _____ von 1934.

8. Ist das eine *öffentliche* oder eine _____ Veranstaltung?

198. Suchen Sie in der rechten Spalte die Wörter mit ähnlicher Bedeutung.

1. Peter *bestellt* die Eintrittskarten für uns alle.

2. Das Lokal ist schon *offen*.

3. Kannst du bitte versuchen, die *Tickets* zu reservieren?

4. Er hat keine Lust mehr, bei diesem *Verein* zu spielen.

5. Wann *fängt* der Musiker zu spielen *an*?

a) Klub

b) beginnt

c) reserviert

d) geöffnet

e) Eintrittskarten

> **anfangen/beginnen/aufhören + zu + Verb**
> Bei Verben wie *anfangen/beginnen/aufhören/erlauben/versuchen* benutzt man den
> **Infinitiv mit *zu:***
> ▶ *Sie beginnt **zu** singen. Es hat aufgehört **zu** regnen. Bitte versuche, die Tickets **zu**
>   reservieren.*
> Bei den Modalverben *(müssen, können, wollen ...)* benutzt man dagegen den
> **Infinitiv ohne *zu:***
> ▶ *Kannst du die Tickets reservieren? Er will nicht spielen.*

199. Ergänzen Sie die Sätze und achten Sie auf die richtige Form.

ausverkauft ● **ansehen** ● **gehen** ● **Garderobe** ● **Schauspieler** ● **Platz** ●
Reihe ● **Abendkasse** ● **Öffnungszeiten** *(Pl.)*

1. Bis wann hat das Stadtmuseum heute geöffnet? – Ich weiß nicht, am besten suchen

wir die _____ im Internet.

2. Hast du schon die Tickets geholt? – Nein, aber man kann sie auch direkt an der

_____ kaufen.

3. Ich hoffe, wir sitzen heute nicht wieder in der ersten _____. –

Nein, dieses Mal haben wir zwei _____ in der Mitte.

4. Die Tickets sind leider schon alle _____. – Das macht

nichts, wir können auch nächste Woche ins Kino _____.

5. Diesen Film würde ich mir gern _____. – Ich auch; es sind

ein paar sehr gute _____ dabei.

6. (Vor der Theatervorstellung:) Soll ich auch deinen Mantel an der

_____ abgeben? – Ja, danke.

200. Wortbildung. Ordnen Sie die Wörter aus der Wortschlange in die Tabelle ein.
Achtung: Einige Tabellenzellen bleiben leer!

Malerzeichnenkunstwerkgemäldemalerinzeichner
malenkompositionfotografzeichnung
rockmusikerinfotografierenkünstlerfotografie
rockmusikfotografinrockliedzeichnerinrockmusiker
komponistinkomponierenkünstlerinkomponist

	Person	Tätigkeit	Werk
1.	Maler, Malerin		
2.		zeichnen	
3.			Kunstwerk
4.	K		
5.	F		
6.	R		

201. Ordnen Sie die Oberbegriffe zu.

1. Gemälde – Symphonie – Skulptur – Meisterwerk

2. Roman – Erzählung – Gedicht – Drama

3. Klavierkonzert – Musical – Oper

4. Theatervorstellung – Kunstausstellung – Lesung

a) Musikveranstaltung

b) Kunstwerk

c) Kulturveranstaltung

d) Literatur

202. Ergänzen Sie die Sätze und achten Sie auf die richtige Form.

**klatschen ▪ ausfallen ▪ Führung ▪ Vorverkauf ▪ Publikum ▪
Warteschlange ▪ Reaktion**

1. Ticketverkauf. Vermeiden Sie die _____ und kaufen

    Sie Ihr Ticket online: 9,50 € für Erwachsene und 5,- € für Kinder.

2. Liebe Zuschauerinnen und Zuschauer, aus technischen Gründen muss die heutige

    Kabarettveranstaltung leider _____.

3. Die Eintrittskarten für die Veranstaltung sind nur im _____

    erhältlich, nicht an der Abendkasse.

4. Die neue Inszenierung des Dramas war ein großer Erfolg. Das

    _____ war begeistert und hat lange Beifall

    _____. Auch die _____ der

    Theaterkritiker waren positiv.

5. Informationen für Besucher: Das Schloss kann nur mit _____

    besichtigt werden. Dauer ca. 50 Minuten. Öffnungszeiten im Winter: dienstags und

    donnerstags zwischen 10 und 12 Uhr.

203. Welches Wort passt nicht in die Reihe?

1. der Sänger – die Kunstgalerie – die Band – die Solistin – das Duo
2. die Schauspielerin – der Regisseur – das Museum – der Film
3. das Lied – der Song – das Bild – die Komposition – die Oper
4. der Spielausgang – das Spielergebnis – das Spielresultat – die Spielregel
5. der Beifall – die Ausstellung – der Applaus – das Publikum – die Zuschauer
6. das Gespräch – das Konzert – die Diskussion – die Debatte
7. lustig – spannend – langweilig – interessant – schön
8. die Burg – das Krankenhaus – das Schloss – die Kirche – das Rathaus
9. das Schauspielhaus – der Schriftsteller – die Konzerthalle – das Theater
10. der Roman – die Geschichte – der Nachtklub – das Gedicht – das Märchen

Öffentliche Verkehrsmittel

204. Bus, Bahn, Flugzeug … Ordnen Sie die Wörter in die Tabelle ein und ergänzen
Sie die Artikel.

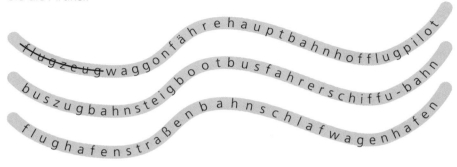

flugzeug waggon fähre hauptbahnhof flugpilot
bus zug bahnsteig boot busfahrer schiff u-bahn
flughafen straßen bahn schlafwagen hafen

1. 🚃🚌🚄	2. ✈	3. 🚢
	das Flugzeug	

205. Welches Wort passt nicht in die Reihe?

1. Busfahrerin – Pilot – Taxifahrer – Flugbegleiter – Motorradfahrer

2. Gepäck – Koffer – Tourist – Reisetasche

3. Wasser – Fluss – Sand – Schiff – Boot

4. Fahrkarte – Postkarte – Flugticket – Zugfahrschein

5. gehen – laufen – liegen – fahren

6. Bus – U-Bahn – S-Bahn – Schnellzug – Fahrrad

206. Ergänzen Sie das Schema mit den Verben *aussteigen*, *einsteigen* und *umsteigen*.

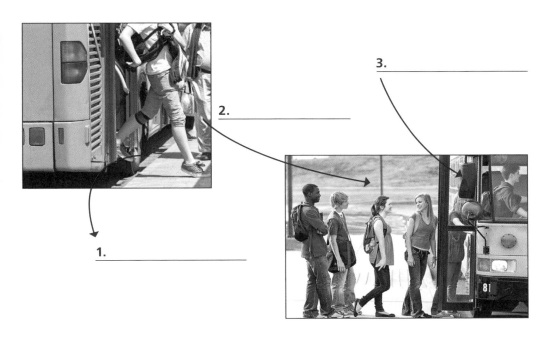

3. _____

2. _____

1. _____

ℹ Bus fahren: Einstieg und Ausstieg
Im Bus steigt man normalerweise vorn beim Fahrer ein und hinten aus. Man sollte immer auf die Schilder und Hinweise achten. Oft findet man Hinweise wie z. B.:
▶ *Einstieg nur vorn! Bitte hinten aussteigen!*

207. Ordnen Sie zu.

1. sie kümmert sich um die Passagiere eines Flugzeugs

2. aus dem Zug A aussteigen und den Zug B nehmen

3. die Ankunfts- und Abfahrtszeiten

4. mit dem Flugzeug reisen

5. sich zu Fuß bewegen

6. mit dem Zug oder Bus reisen

7. Ort, an dem die Fahrt endet und alle aussteigen müssen

8. die Haltestelle, an der man auf den Bus wartet

9. der Wagen im Zug, in dem man essen und trinken kann

a) fahren

b) die Flugbegleiterin

c) der Fahrplan

d) die Endstation

e) die Bushaltestelle

f) der Speisewagen

g) gehen

h) fliegen

i) umsteigen

208. Ergänzen Sie den Fahrplan und die Sätze. Achten Sie auf die richtige Form.

abfahren *(2x)* ▪ ankommen ▪ (sich) beeilen ▪ Verspätung ▪
Gleis *(2x)* ▪ Abfahrt

Fahrplan							
Ankunft				_____ **(1)**			
	_____ **(2)**	Verspätung			_____ **(2)**	Verspätung	
17:45 h	ICE 2375	3	10 Min.	17:45 h	IC 7723	13	–
17:55 h	S 9	7	25 Min.	17:56 h	S 8	10	5 Min.
18:22 h	EC 1233	8	–	18:00 h	ICE 8833	4	15 Min.

3. Ist die S 8 schon _____? – Nein, sie steht noch auf dem

_____; sie hat heute 5 Minuten Verspätung.

4. Wann kommt der EC an? – Er kommt pünktlich um 18:22 Uhr an und es ist schon

18:20 Uhr. Wir müssen uns _____!

5. Der ICE 2375 _____ erst um 17:55 Uhr _____, er ist 10 Minuten

zu spät.

6. Ist die S 9 schon angekommen? – Sie sollte schon um fünf vor sechs da sein, aber sie

hat 25 Minuten _____.

7. Achtung, eine Durchsage: Der ICE 8833 _____ heute um

18:15 Uhr _____; er hat 15 Minuten Verspätung.

> ***Fahrplan: Ankunft und Abfahrt***
> An einem Bahnhof finden Sie normalerweise einen Ankunftsplan in weißer Farbe und einen
> Abfahrtsplan in gelber Farbe. Achten Sie auch auf die klein gedruckten Symbole, z. B. ✗ –
> *nur an Werktagen*, das heißt von Montag bis Samstag.
> Aber die Abfahrtszeiten von Zügen und Bahnen kann man heute in der Regel auch im
> Internet herausfinden.

209. Am Bahnhof: Fragen und Antworten. Ergänzen Sie die Sätze und achten Sie auf die richtige Form.

Haltestelle ▪ Fahrkarte ▪ Fahrplan ▪ Gleis ▪ Taxistand ▪ Verspätung ▪ Automat ▪ betreten ▪ fahren ▪ nehmen ▪ ausfallen

1. Entschuldigen Sie, wie komme ich zum Breslauer Platz? – Sie müssen die Buslinie 8

_____ und an der zweiten _____ aussteigen.

2. Können Sie mir sagen, wann die nächste S-Bahn nach Oberhausen

_____? – Ich weiß es nicht, am besten sehen Sie auf dem

_____ nach, er hängt dort drüben.

3. Entschuldigen Sie, wo kann ich eine _____ für den ICE kaufen? –

Der _____ ist unten neben der Drogerie.

4. Ist der EC nach München schon angekommen? – Nein, noch nicht. Er hat 10 Minuten

_____.

5. Verzeihung, wo fährt die S 6 ab? – Ich glaube, von _____ 7.

6. Wo ist der _____? – Die Taxis finden Sie hinter dem Bahnhof.

7. Hier steht: „_____ der Gleise verboten".

8. Der IC nach Frankfurt muss wegen einer Betriebsstörung _____.

210. Am Bahnschalter. Was fragt der Verkäufer / die Verkäuferin (V), was der Kunde / die Kundin (K)? Kreuzen Sie an.

	V	K
1. Brauchen Sie eine Sitzplatzreservierung?		
2. Muss ich einen Zuschlag für die erste Klasse bezahlen?		
3. Haben Sie eine Bahnkarte?		
4. Wie oft muss ich umsteigen?		
5. Muss ich diese Fahrkarte entwerten?		
6. Einfach oder hin und zurück?		
7. Möchten Sie einen Fensterplatz?		
8. Was kostet ein Platz in der ersten Klasse?		

211. Fliegen, landen, sich verspäten … Bilden Sie Nomen (in den Sätzen 4 bis 6 Komposita).

1. *fliegen*

Dann also bis nächste Woche! – Bis nächste Woche, guten _____ und einen schönen Urlaub!

2. *sich verspäten*

Der Bus hat wegen der Bauarbeiten eine Stunde

_____.

3. *landen*

Liebe Fluggäste, bitte schnallen Sie sich wieder an; die

_____ beginnt in wenigen Minuten.

4. mit dem *Zug fahren*

Die _____ war ziemlich

anstrengend, weil der Wagen sehr voll war.

5. die *Durchsage* am *Bahnhof*

Ich kann die _____

oft nicht verstehen.

6. der *Kapitän* des *Flugs*

Liebe Fluggäste, der _____

und seine Besatzung begrüßen Sie ganz herzlich an

Bord.

212. Probleme beim Reisen. Ergänzen Sie die Minidialoge und achten Sie auf die richtige Form.

erreichen • **verpassen** • **liegen lassen** • **Anzeige** •
Schließfach • **Wagennummer**

1. (Am Schalter:) Guten Morgen, ich habe gerade den Anschlusszug nach Wiesbaden

_____. Wann fährt der nächste Zug nach Wiesbaden? – Wenn Sie

sich beeilen, können Sie noch den IC um 9:15 Uhr _____.

2. (Im Fundbüro:) Guten Tag. Ich habe im ICE 977, der gestern um 22:05 Uhr hier

angekommen ist, eine blaue Reisetasche _____. –

Können Sie mir die _____ und Ihre Sitzplatznummer sagen?

3. (In der Gepäckaufbewahrung:) Guten Tag, kann ich meinen Rucksack hier abgeben? –

Dahinten gibt es _____, die Sie benutzen können.

4. (Am Schalter:) Guten Tag, mir ist gerade mein Portemonnaie gestohlen worden. –

Dann sollten Sie zur Polizei gehen und _____ erstatten.

213. Welche dieser Wörter kann man mit Zug verbinden, welche mit Flug, welche mit beiden? Bilden Sie Komposita.

	-ZUG-	**-FLUG-**
-ZEUG	∅	Flugzeug
-FAHRT		
-GESELLSCHAFT		
-VERSPÄTUNG		
ANSCHLUSS-		
-BEGLEITER		
-KAPITÄN		
-FÜHRER		
-VERKEHR		
-ANGST		
-VERBINDUNG		
-SCHIENEN		

Private Verkehrsmittel

214. Fahrrad, Auto, Lastwagen … Ordnen Sie die Wörter den Bildern zu.

das Auto • **die Autobahn** • **das Fahrrad** • **die Fußgänger** *(Pl.)* • **die Kurve** •
der Lastwagen • **das Motorrad** • **der Parkplatz** • **die Tankstelle**

1. _____   2. _____   3. _____

4. _____   5. _____   6. _____

7. _____   8. _____   9. _____

215. Ergänzen Sie die Sätze mit einigen Wörtern aus Übung **214**.

1. Der _____ ist voll. Wir müssen woanders parken.

2. Braucht man für einen _____ einen speziellen Führerschein? –
Ja, man braucht den Lkw-Führerschein.

3. Was bedeutet „Pkw"? – „Personenkraftwagen", das heißt _____.

4. Mir ist schlecht: Diese Straße hat zu viele _____.

216. Welche beiden Verben passen?

1. mit dem Auto
- ○ **a)** reisen
- ○ **b)** fahren
- ○ **c)** gehen

2. den Führerschein
- ○ **a)** führen
- ○ **b)** machen
- ○ **c)** haben

3. zu Fuß
- ○ **a)** fahren
- ○ **b)** gehen
- ○ **c)** laufen

4. einen Parkplatz
- ○ **a)** suchen
- ○ **b)** finden
- ○ **c)** ziehen

5. jemanden mit dem Wagen
- ○ **a)** abholen
- ○ **b)** zum Bahnhof fahren
- ○ **c)** abfahren

6. (ein) Motorrad
- ○ **a)** fahren
- ○ **b)** fahren lernen
- ○ **c)** führen

7. mit dem Fahrrad
- ○ **a)** fahren
- ○ **b)** kommen
- ○ **c)** gehen

8. einen LKW
- ○ **a)** mieten
- ○ **b)** überqueren
- ○ **c)** überholen

Wohin fährst du? – Wo bist du?
Die Verben *fahren, reisen, gehen, fliegen* zeigen die Bewegung von Ort A zu Ort B an.
▶ *Wohin fährst du? – Ich fahre nach Ulm.*   ↔   *Wo bist du? – Ich bin in Ulm.*
▶ *Wohin gehst du? – Ich gehe in den Park.*   ↔   *Wo bist du? – Ich bin im Park.*

---

217. Verkehrsregeln. Was muss man machen, was darf man / darf man nicht machen? Wie kann der Satz weitergehen? Ordnen Sie zu.

1. Wenn man im Auto sitzt,

2. Bei durchgezogener Linie auf der Straße

3. Wenn man das Stoppschild sieht,

4. Wo Parkverbot ist,

5. Am Zebrastreifen

6. Bei der Geschwindigkeitsbegrenzung auf 40 km/h

a) darf man nicht 80 km/h fahren.

b) muss man sich anschnallen.

c) darf man nicht überholen.

d) darf man nicht parken.

e) muss man davor anhalten.

f) muss man warten, bis alle Fußgänger die Straße überquert haben.

218. Rund um den Verkehr. Ergänzen Sie die Sätze mit den Komposita aus der Wortschlange.

1. Ich gehe morgen zum _____ : Ich will mir einen

neuen Wagen kaufen.

2. Gehört der Wagen dir? – Nein, es ist ein _____, ich habe

ihn nur für diese Woche.

3. Vorsicht, hier beginnt die _____: Hier darf man nicht

Auto fahren.

4. Bitte entschuldige die Verspätung, ich musste wegen einer _____

die Umleitung nehmen.

5. Ich habe heute meinen _____ gemacht:

Bei der nächsten Motorradtour werde ich selbst fahren können! –

Herzlichen Glückwunsch!

6. Guten Morgen, die Nachrichten. Gestern Abend ist ein Lkw aus ungeklärten Gründen

von der _____ abgekommen. Der Fahrer kam mit leichten

Verletzungen davon.

219. Ordnen Sie zu.

1. Pkw – Motorrad – Fahrrad – Moped

2. U-Bahn – S-Bahn – Regionalexpress

3. Stau – Nebel – dichter Verkehr –
flüssiger Verkehr

4. Fußgänger – Motorradfahrer – Busfahrer

5. Autobahn – Landstraße – Hauptstraße

6. Stoppschild – Parkverbotsschild

7. Zusammenstoß – Verkehrsunglück

a) Privatfahrzeuge

b) Verkehrsteilnehmer

c) öffentliche Verkehrsmittel

d) Straßen

e) Verkehrsunfall

f) Verkehrszeichen

g) Verkehrsbedingungen

Reisen und Tourismus

220. Über Urlaubspläne sprechen. Ergänzen Sie die Minidialoge und achten Sie auf die richtige Form.

fahren *(2x)* ▪ **machen** ▪ **planen** ▪ **verreisen** ▪ **Ausland** ▪
Reisebüro ▪ **Reise** ▪ **Hauptsaison**

1. Weißt du schon, wo du im Sommer Urlaub _____? – Ich möchte

dieses Jahr gar nicht _____: Ich will die Zeit nutzen, um die

Wohnung zu renovieren.

2. Ich fahre morgen früh nach Spanien. – Dann gute _____ und einen

schönen Urlaub.

3. Wohin wollen wir nächstes Jahr in den Urlaub _____? – Ich weiß es

nicht. Ich habe keine Lust, so früh zu _____.

4. Wann _____ ihr dieses Jahr in die Ferien? – Vielleicht schon im Mai,

in der Nebensaison; denn in der _____ sind die Hotels zu teuer.

5. Macht ihr wieder Urlaub in Tunesien? – Nein, wir wollen dieses Jahr nicht ins

_____ fahren; wir bleiben in Deutschland und besuchen einige

Verwandte.

6. Wo habt ihr dieses tolle Reiseangebot gefunden? – Wir haben die Reise in einem

_____ gebucht.

221. Urlaubsarten. Ordnen Sie die Wörter den Bildern zu.

Urlaub auf dem Land ▪ **Fahrradurlaub** ▪ **Strandurlaub**

1. _____ **2.** _____ **3.** _____

222. Welches Verb passt nicht in die Reihe?

1. *eine Reise*   machen – buchen – befahren

2. *Sehenswürdigkeiten*   besuchen – hören – besichtigen

3. *Souvenirs*   kaufen – verkaufen – besuchen

4. *eine Stadtrundfahrt*   machen – umfahren – buchen

5. *einen Ausflug*   planen – mitbringen – machen

6. *Reiseprospekte*   lesen – mitnehmen – lernen

7. *Reiseinformationen im Internet*   suchen – finden – reservieren

8. *eine Ferienwohnung*   suchen – buchen – ausleihen

9. *per Anhalter/Autostopp*   reisen – gehen – fahren

10. *Ferien*   haben – machen – anschauen

223. Ergänzen Sie die Sätze und achten Sie auf die richtige Form.

**Beratung • Schloss • Fremdenverkehrsbüro • Reiseführer •
Reiseveranstalter • Reiseleiterin • fotografieren • verbringen •
wandern • unterwegs**

1. In meinem _____ habe ich viele interessante Informationen

gelesen.

2. Unsere _____ hat uns auf diese Kirche aufmerksam gemacht.

3. Die _____ in unserem Reisebüro ist kostenlos.

4. Organisiert dieser _____ auch Fernreisen?

5. Auf ihrer Italienreise hat sie viele Sehenswürdigkeiten _____.

6. Er ist 70 und noch sehr fit: Er fährt im Sommer immer in die Berge, um zu

_____.

7. Vor der Reise ließ er sich im _____ beraten.

8. Ich möchte nicht den ganzen Sommer _____ sein: Lange Reisen

finde ich ermüdend.

9. Ich glaube, dieses _____ steht unter Denkmalschutz.

10. Wo hast du deinen letzten Urlaub _____? – In Indien.

224. Bilden Sie Nomen.

1. *sehenswürdig*   Wir haben viele _____

besichtigt.

2. *heim + fahren*   Gute _____!

3. *heim + fliegen*   Ich wünsche Ihnen einen angenehmen

_____!

4. *Reise + beraten*   Die _____ war alles andere als gut.

5. *Gruppe + Touristen*   Heute habe ich bei der Reiseauskunft eine große

_____ aus Japan gesehen.

6. *Reise + Gesellschaft*   Diese _____ organisiert

vor allem Asienreisen.

7. *Touristen + Information*   An der _____ können Sie

sich nach organisierten Ausflügen erkundigen.

8. *Reise + leiten*   Unser _____ hat uns ein

paar sehr gute Tipps gegeben.

225. Eine Stauvorhersage. Ergänzen Sie die Meldung mit den Wörtern aus der Wortschlange.

stauskurzurlaubpolizeisprecherinreisendeosterwochenendeautobahn

Stauvorhersage für das _____ **(1)**

Hier die aktuelle Stauvorhersage für _____ **(2)** im Nordwesten:

Wer am Osterwochenende einen _____ **(3)** plant, muss mit sehr

dichtem Verkehr rechnen. Laut der Landespolizei Nordrhein-Westfalen wird es am

Donnerstag- und Freitagabend sowie am Ostermontag vielerorts _____ **(4)**

geben. Besonders betroffen ist die _____ **(5)** A1. Vor allem

im Großraum Köln brauchen Autofahrer viel Geduld: Wie eine

_____ **(6)** mitteilte, waren erste Staus bereits am

Donnerstagnachmittag zu beobachten.

Orientierung

226. Suchen Sie die Personen A, B, C, D und E auf dem Stadtplan. Ergänzen Sie die Fragen und die Wegbeschreibungen und achten Sie auf die richtige Form.

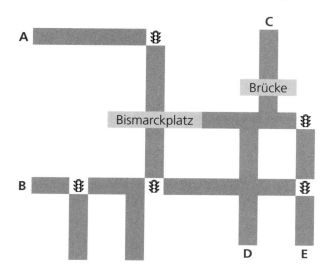

Ampel • Brücke • Meter • Kreuzung • Nähe • geradeaus • links • rechts • nach • weit • können • fragen • gehen • kommen • suchen • zeigen

A. Guten Tag, _____ Sie mir sagen, wie ich zum Bismarckplatz komme? –

Gehen Sie circa 100 Meter _____ und an der Ampel nach _____.

B. Verzeihung, ich suche den Bismarckplatz. – Er ist nicht _____ von hier:

Sie müssen einfach weiter geradeaus _____ und dann an der zweiten

Ampel nach _____ abbiegen.

C. Entschuldigen Sie, wie _____ ich zum Bismarckplatz? Das ist ganz in der

_____: Gehen Sie einfach weiter geradeaus, dann über die

_____ und dann _____ rechts.

D. Verzeihung, darf ich Sie etwas _____? Wissen Sie, wie ich zum

Bismarckplatz komme? – Gehen Sie circa 100 _____ weiter geradeaus

und an der zweiten _____ nach links.

E. Entschuldigung, ich _____ den Bismarckplatz. – Ich _____

Ihnen den Weg auf dem Stadtplan: Sie sind hier. Jetzt gehen Sie weiter geradeaus, an

der zweiten _____ nach links und dann immer geradeaus.

227. Welches Wort passt nicht in die Reihe?

1. links – rechts – geradeaus – unten – oben – schwer – vorn – hinten – nah – weit

2. die Kreuzung – die Straße – das Auto – der Platz – die Ampel

3. der Stadtplan – die Karte – der Reiseleiter – die Wegbeschreibung

4. Entschuldigung! – Verzeihen Sie! – Passen Sie auf! – Entschuldigen Sie! – Verzeihung!

5. gehen – kommen – fliegen – laufen

6. nördlich – südlich – westlich – nordwestlich – östlich

7. *Es tut mir leid, aber ich weiß es nicht; …*
… ich bin nicht von hier. – … ich gehe fremd. – … ich bin fremd hier.

8. Gegend – Region – Wald – Umgebung – Gebiet – Zone

> ***Nördlich, südlich von …***
> Aus den Nomen *Norden, Süden, Westen* und *Osten* kann man Adjektive auf *-lich* bilden,
> z. B.:
> ▶ *n**ö**rdlich, südlich, **ö**stlich, westlich, nordwestlich, süd**ö**stlich*
> ▶ *Dresden liegt südlich von Berlin.*
> ▶ *Münster liegt nordöstlich von Essen.*

228. Verkehrsdurchsagen und Fragen nach dem Weg. Wie kann der Satz
weitergehen? Ordnen Sie zu.

1. Entschuldigung, wir haben uns

2. Ich weiß es auch nicht, ich
kenne mich

3. Können Sie mir sagen,

4. Eine Meldung für Autofahrer:
Wegen der Sperrung der
Fechinger Talbrücke

5. Achtung

a) ab wo ich die Autobahn A20 nehmen kann?

b) gibt es auf der Umleitungsstrecke 3 km Stau.

c) auf der A3 Würzburg Richtung Nürnberg!
Zwischen Anschlussstelle Würzburg und
Anschlussstelle Rottendorf gibt es einen
Verkehrsunfall. (…)

d) hier nicht aus.

e) verfahren. Wie kommen wir zur Baseler
Straße?

Welche dieser Sätze sind Verkehrsdurchsagen für Autofahrer?

229. Was bedeuten diese Symbole? Ordnen Sie zu.

1.
2.

a) U-Bahn

b) Geschwindigkeitsbegrenzung

3.
4.

c) Abflug

d) Vorfahrt gewähren

e) Schließfächer

f) links abbiegen

5.
6.

Welche dieser Schilder oder Symbole sind Verkehrszeichen? _____

230. Wörter wiederholen: Lösen Sie das Kreuzworträtsel zum Wortfeld *Verkehr*. Die meisten Wörter haben Sie in diesem Kapitel schon kennengelernt.

1. Der Zug hat keine Verspätung; er ist …
2. Der Fahrer eines Taxis.
3. Ein anderes Wort für *Vorsicht*.
4. Ein anderes Wort für *Information*.
5. Umgangssprachliches Wort für *Flugzeug*.
6. Nomen zu *aussteigen*.

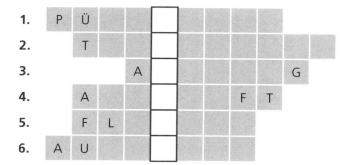

Lösungswort: _____

Institutionen und Behörden

231. In der Stadt. Ordnen Sie die Wörter den Bildern zu.

die Feuerwehr ▪ das Rathaus ▪ die Bank ▪ die Post ▪
das Krankenhaus ▪ die Polizei

1. _____ 2. _____ 3. _____

4. _____ 5. _____ 6. _____

232. Ämter und Formulare. Ordnen Sie die Wörter zu.

Aufenthaltserlaubnis ▪ Telefonnummer ▪ Familienstand ▪ Geburtsdatum ▪
Adresse ▪ Geburtsort ▪ Personalausweisnummer ▪ Staatsangehörigkeit

1. Vor- und Nachname: Alma Fernandez

2. _____ :   21.01.1987

3. _____ :   Buenos Aires (Argentinien)

4. _____ :   argentinisch

5. _____ :   ledig

6. _____ :   WS340044

7. _____ :   gültig bis 14.03.2019

8. _____ :   Annastraße 12, 45127 Essen

9. _____ :   0201 3564453

233. Umgid und Anmeldung bei der Meldebehörde. Füllen Sie das Formular aus.

Sie wollen sich und Ihre Frau bei der Meldebehörde anmelden.
Nutzen Sie folgende Informationen:
Sie heißen Jacques Moreau und Sie haben mit Ihrer Frau Andrea Pavlova am 01.05.2016
eine neue Wohnung bezogen. Am gleichen Tag sind Sie von der Rellinger Straße 12,
20257 Hamburg, in die Eimsbütteler Chaussee 5, 20259 Hamburg, gezogen. Die
Wohnung ist Ihre einzige Wohnung.
Sie kommen aus Frankreich, Ihre Frau kommt aus der Slowakei. Ihre Frau ist am
03.12.1966 geboren, Ihr Geburtstag ist der 04.06.1964.

Anmeldung einer (1)

◯ alleinigen Wohnung   ◯ Hauptwohnung   ◯ Nebenwohnung

Angaben zur Wohnung:

Neue Wohnung	**Bisherige Wohnung**
Tag des Einzugs: _____ **(2)**	Tag des Auszugs: _____ **(6)**
Postleitzahl: _____ **(3)**	Postleitzahl: _____ **(7)**
Straße: _____ **(4)**	Straße: _____ **(8)**
Hausnummer: _____ **(5)**	Hausnummer: _____ **(9)**

Die Anmeldung bezieht sich auf folgende Personen:

	Familienname	Vorname(n)	Geschlecht
Person 1	_____ **(10)**	_____ **(11)**	◯ m ◯ w **(12)**
Person 2	_____ **(13)**	_____ **(14)**	◯ m ◯ w **(15)**
	Geburtsdatum	Familienstand	Staatsangehörigkeit
Person 1	_____ **(16)**	_____ **(17)**	_____ **(18)**
Person 2	_____ **(19)**	_____ **(20)**	_____ **(21)**

Bei der Meldebehörde
Sie ziehen in eine neue Wohnung ein? Dann müssen Sie Ihren Wohnsitz bei der
Meldebehörde (auch *Einwohnermeldeamt, Bürgeramt*) ummelden. Informieren Sie sich,
welche Dokumente Sie dafür brauchen.

234. In meinem Portemonnaie. Ordnen Sie die Wörter den Bildern zu und ergänzen Sie die Artikel.

Führerschein ▪ **Kreditkarte** ▪ **Pass** ▪ **Fahrkarte** ▪ **Bargeld** ▪ **Gesundheitskarte**

1. _____   2. _____   3. _____

4. _____   5. _____   6. _____

235. Am Informationsschalter. Ergänzen Sie den Dialog.

ausfüllenbeantragenziehenunterlageneinkommen

💬 Guten Tag, ich möchte Wohngeld _____ **(1)**.

💬 Dann müssen Sie zuerst dieses Antragsformular _____ **(2)**.

Haben Sie den Mietvertrag und die Meldebescheinigung?

💬 Ja, hier sind alle _____ **(3)**.

💬 Haben Sie auch einen Einkommensnachweis?

💬 Entschuldigen Sie, aber was ist ein Einkommensnachweis?

💬 Ein Dokument, auf dem steht, wie viel Geld Sie verdienen oder wie hoch Ihr

_____ **(4)** ist.

💬 Ah, das habe ich.

💬 Dann müssen Sie jetzt zur Wohngeldstelle im zweiten Stock. Dort müssen Sie eine

Nummer _____ **(5)** und warten.

236. Auf dem Amt. Was kann man sagen? Es gibt immer zwei Möglichkeiten.

1. Guten Tag, wo kann ich Informationen über das Wohngeld
○ **a)** bekommen?
○ **b)** erhalten?
○ **c)** ziehen?

2. Mein Pass ist
○ **a)** abgelaufen.
○ **b)** entkommen.
○ **c)** nicht mehr gültig.

3. Guten Tag, ich möchte einen Antrag
○ **a)** stellen.
○ **b)** verlieren.
○ **c)** abgeben.

4. Sie müssen noch das Formular
○ **a)** ausfüllen.
○ **b)** unterschreiben.
○ **c)** verschreiben.

5. Ich habe online einen Termin
○ **a)** vereinbart.
○ **b)** verfahren.
○ **c)** gebucht.

6. Ich möchte einen Umzug
○ **a)** anmelden.
○ **b)** anmachen.
○ **c)** melden.

7. Hast du die Auskunft?
○ **a)** Ja, ich habe mich informiert.
○ **b)** Ja, ich habe gekündigt.
○ **c)** Ja, ich habe mich erkundigt.

8. Ihr Antrag wurde
○ **a)** entschuldigt.
○ **b)** bewilligt.
○ **c)** abgelehnt.

237. Ämter und Behörden in Deutschland. Wo muss ich mich informieren? Ordnen Sie zu.

1. Ich möchte meine Wohnung anmelden.

2. Ich möchte mein Auto anmelden.

3. Ich möchte heiraten.

4. Ich bin arbeitslos und suche Arbeit.

5. Ich muss die Steuern zahlen.

6. Jemand hat mein Portemonnaie gestohlen.

7. Ich möchte Kindergeld beantragen.

a) Familienkasse

b) Standesamt

c) Agentur für Arbeit

d) Finanzamt

e) Einwohnermeldeamt

f) Kfz-Zulassungsstelle

g) Polizei

Ämter und Behörden in Ihrer Stadt
Auf der offiziellen Internetseite Ihrer Stadt (z. B. www.frankfurt.de, www.hamburg.de) können Sie viele nützliche Informationen über die lokalen Ämter und Behörden finden.

Post und Telefon

238. Ein Brief. Ordnen Sie die Wörter zu.

der Absender ▪ **die Briefmarke** ▪ **der Umschlag** ▪ **der Empfänger**

1. _____

Cornelia Müller
Blumenweg 3
80331 München

3. _____

Markus Maier
Innsbrucker Str. 57
22143 Hamburg

2. _____

4. _____

239. Am Schalter. Ergänzen Sie den Dialog.

Werktage ▪ **Preis** ▪ **Paket** ▪ **Briefmarke** ▪ **geöffnet** ▪ **Automaten** ▪
geschlossen ▪ **Schalter**

🗨 Guten Morgen, ich brauche eine _____ **(1)** für diese Postkarte

nach England. Außerdem möchte ich dieses _____ **(2)**

verschicken. Was kostet das?

💬 Der normale _____ **(3)** für die Postkarte ist 0,90 €. Das Paket

wiegt 4 300 g, das kostet 15,99 €.

🗨 Und wie lange dauert es?

💬 Das kann man nicht genau sagen. Normalerweise drei bis vier _____ **(4)**.

🗨 Kann ich auch Geld schicken?

💬 Ja, aber nicht an diesem _____ **(5)**; dafür müssen Sie zu Schalter 5.

🗨 Danke. Haben Sie morgen, am Samstag, _____ **(6)**?

💬 Ja, aber nur bis 12 Uhr.

🗨 Dann erst wieder am Montag?

💬 Nein, diesen Montag haben wir _____ **(7)**, da ist Feiertag. Aber

Sie können auch unsere _____ **(8)** neben dem Eingang benutzen.

🗨 Alles klar – vielen Dank!

240. Rund ums Telefon. Beantworten Sie die Fragen.

1. Wie ist die Vorwahl von Österreich?
2. Wer ist da bitte?
3. Könnte ich bitte mit Lisa sprechen?
4. Tut mir leid, er ist nicht da. Soll ich ihm etwas ausrichten?

a) Meyer am Apparat.
b) Nein, danke. Ich werde es später noch einmal versuchen.
c) Einen Moment, ich hole sie.
d) 0043

241. Die Benachrichtigungskarte. Sie finden die Karte heute, am Freitag, 3. Juni, in Ihrem Briefkasten.

Sehr geehrte Frau / ~~sehr geehrter Herr~~ _____ Schneider _____ ,

leider konnten wir Ihnen Ihre Sendung heute nicht zustellen.

☐ Ihr Paket haben wir bei Ihrem Nachbarn / Ihrer Nachbarin abgegeben:

_____

☒ Ihr Paket liegt in der folgenden Filiale ab morgen um 12:00 h für Sie bereit:

_____ Anne-Frank-Straße 5, 91052 Erlangen _____

Wir bewahren es 7 Werktage für Sie auf.

☐ Wir kommen am _____ wieder.

Datum, Unterschrift _____ 3. Juni 2016, G. Hartmann _____

Was bedeutet …

1. „Das Paket liegt … für Sie bereit."
   ○ a) Das Paket wird noch einmal geliefert.
   ○ b) Sie können das Paket abholen.
   ○ c) Das Paket geht zurück an den Absender.

2. „Wir bewahren es 7 Werktage für Sie auf."
   ○ a) Sie können das Paket bis zum 9. Juni abholen.
   ○ b) Sie können das Paket bis zum 11. Juni abholen.
   ○ c) Sie können das Paket bis zum 14. Juni abholen.

3. „… in der folgenden Filiale …"
   ○ a) Die Adresse des Absenders.
   ○ b) Die Adresse des Empfängers.
   ○ c) Die Adresse, bei der Sie das Paket abholen können.

242. Am Telefon. Welches Wort passt?

1. Entschuldigung, aber ich habe leider gerade keine Zeit. Kann ich dich später
○ **a)** erkennen?
○ **b)** telefonieren?
○ **c)** zurückrufen?

2. Ich konnte ihn nicht
○ **a)** erreichen.
○ **b)** verlegen.
○ **c)** aufheben.

3. Die Leitung war den ganzen Tag
○ **a)** ungültig.
○ **b)** besetzt.
○ **c)** beschäftigt.

4. Sie war wütend und hat einfach
○ **a)** aufgehört.
○ **b)** aufgelegt.
○ **c)** gelegt.

5. Hört das denn keiner? Das Telefon
○ **a)** klingt.
○ **b)** klingelt.
○ **c)** klopft.

6. Einen Moment, ich werde Sie
○ **a)** durchstellen.
○ **b)** durchlassen.
○ **c)** durchbringen.

Telefonieren **oder** *anrufen?*
Das Verb *anrufen* kann mit einem Akkusativobjekt *(mich, dich, euch, den Vater …)* stehen, z. B.:
▶ *Ich rufe (euch) morgen an.*
Das Verb *telefonieren* benutzt man mit der Präposition *mit* oder wenn man generell über das Telefonieren spricht, z. B.:
▶ *Ich habe gestern mit Klara telefoniert. Wann haben wir das letzte Mal telefoniert?*

Politik und Aktuelles

243. Soziales und Politisches. Ergänzen Sie die Sätze und achten Sie auf die richtige Form.

sozial ▪ **aktuell** ▪ **gefährlich** ▪ **kritisch** ▪ **demokratisch**

1. Dieses Viertel ist nachts _____; es gibt viel Kriminalität.

2. In einem _____ Staat geht die Macht vom Volk aus.

3. Hier ist eine Katastrophe passiert. Die Lage ist _____.

4. Es ist gerade passiert. Die Informationen sind _____.

5. Sie ist sehr fair und hilft gern. Ihr Verhalten ist sehr _____.

244. Politischer Alltag. Bilden Sie die Verben zu den Nomen.

1. *die Wahl*   eine Partei _____

2. *die Regierung*   ein Land _____

3. *der Gewinn*   eine Wahl _____

4. *die Kritik*   einen Politiker _____

5. *der Vorschlag*   einen Kandidaten _____

6. *die Entscheidung* _____ für eine Partei _____

245. Das politische System in Deutschland. Ergänzen Sie die Sätze.

parlamentparteienbürgeroppositionminister
regierungsmitgliederbundeskanzler

1. Die Bundesrepublik Deutschland ist ein demokratisches Land. Eine wichtige Rolle

spielen die politischen _____.

2. Die _____ wählen alle vier Jahre den Bundestag, das Parlament.

3. Der Bundestag wählt den _____. Der Kanzler

bestimmt die _____; es gibt z.B. Minister für Umwelt, Außen-

und Innenpolitik, für Familien und für Arbeit und Wirtschaft.

4. Die Bundesregierung besteht aus dem Bundeskanzler und den Bundesministern;

der Kanzler und seine Minister sind also die _____.

5. Die Regierung schlägt die Gesetze vor. Diese werden im _____

diskutiert und verabschiedet.

6. In der _____ sind alle Parteien, die nicht in der Regierung sind.

Bundespräsident und Bundeskanzler
Der Bundespräsident/die Bundespräsidentin ist das Oberhaupt des Staates.
Der Bundeskanzler/die Bundeskanzlerin ist der Chef/die Chefin der Regierung.

Gesellschaft, Politik, Wirtschaft

246. Welches Wort passt nicht in die Reihe?

1. CDU/CSU – ZDF – FDP – SPD

2. Sozialismus – Kapitalismus – Surrealismus – Kommunismus

3. Bundesregierung – Bundestag – Bundespräsident – Bundesstraße

4. Protestaktion – Versicherung – Demonstration – Streik

5. Wende – Wiedervereinigung – Mauerfall – Bundesrat

247. Der Staat. Bilden Sie Komposita; einige Wörter können mehrmals vorkommen.

-PRÄSIDENT
UMWELT-
-REPUBLIK
-TAG
-KANZLERIN
-LAND/-LÄNDER
WIRTSCHAFTS-
BUNDES-
-MINISTER/-MINISTERIN
KULTUS-
ARBEITS-

1. Präsident des Bundes: der _____

2. Minister für Arbeit: der _____

3. Ministerin für Umwelt: die _____

4. Minister für Kultur: der _____

5. Ministerin für Wirtschaft: die _____

6. Chefin der Regierung: die _____

7. Deutschland hat 16 _____.

8. Bayern ist ein _____.

9. Der _____ ist das Parlament der BRD.

10. „BRD" ist die Abkürzung für _____ Deutschland.

248. Gesellschaft und Alltag. Suchen Sie das Gegenteil.

> sozial • der Krieg • dagegen • ungerecht • gewaltlos • verlieren •
> die Minderheit • der Tod • kompromissbereit • reich

1. der Frieden   ⟷   _____

2. arm   ⟷   _____

3. unsozial   ⟷   _____

4. die Mehrheit   ⟷   _____

5. dafür   ⟷   _____

6. gerecht   ⟷   _____

7. gewinnen   ⟷   _____

8. das Leben   ⟷   _____

9. gewalttätig   ⟷   _____

10. kompromisslos   ⟷   _____

249. Eine Demonstration. Ergänzen Sie den Aufruf und achten Sie auf die richtige Form.

> militärisch • fordern • Gleichberechtigung • unterstützen •
> protestieren • Krieg

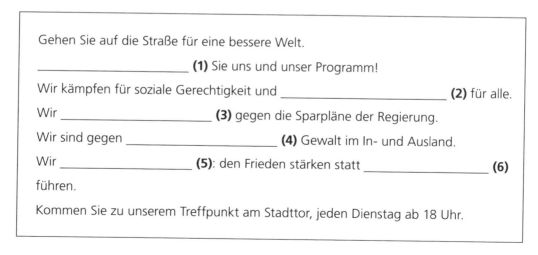

Gehen Sie auf die Straße für eine bessere Welt.

_____ **(1)** Sie uns und unser Programm!

Wir kämpfen für soziale Gerechtigkeit und _____ **(2)** für alle.

Wir _____ **(3)** gegen die Sparpläne der Regierung.

Wir sind gegen _____ **(4)** Gewalt im In- und Ausland.

Wir _____ **(5)**: den Frieden stärken statt _____ **(6)** führen.

Kommen Sie zu unserem Treffpunkt am Stadttor, jeden Dienstag ab 18 Uhr.

250. Nachrichten. Ergänzen Sie die Sätze und achten Sie auf die richtige Form.

> Feuerwehr ▪ Reform ▪ verlangen ▪ Gesetz ▪ verletzen ▪
> Halteverbot ▪ bestrafen ▪ Verhandlung ▪ Polizei ▪ löschen ▪
> streiken ▪ Beitrittskandidat

Nachrichten aus aller Welt – kurz für Sie zusammengefasst.

Brüssel. In Brüssel kam gestern das Europäische Parlament zusammen. Es wurde

über drei neue _____ **(1)** diskutiert. Derzeit wird

geprüft, ob diese Staaten, die der EU beitreten wollen, alle Bedingungen erfüllen. Die

_____ **(2)** mit einigen Staaten sollen bald beginnen.

Frankreich. Fast 40 000 Menschen haben landesweit gegen die geplante

_____ **(3)** des Arbeitsrechts protestiert. Angestellte, Studenten und

Schüler haben heute _____ **(4)** – das komplette öffentliche Leben steht

still. Ein Demonstrant sagt: „Wir _____ **(5)**, dass die Regierung das neue

_____ **(6)** zurückzieht."

Düsseldorf. Bei einem Busunfall am Sonntagnachmittag sind mindestens

44 Menschen leicht _____ **(7)** worden. 20 Fahrgäste wurden zur

Sicherheit ins Krankenhaus gebracht. Nach ersten Informationen der

_____ **(8)** hatte der Fahrer die Kontrolle über das Fahrzeug verloren.

Luxemburg. In Luxemburg kostet das Falschparken seit letzter Woche fast dreimal so

viel wie bisher. So werden Autofahrer, die im _____ **(9)**

stehen, mit einem Bußgeld von fast 150 € _____**(10)**.

Stuttgart. In einem Chemielabor ist am Mittwoch ein Brand ausgebrochen. Die

_____ **(11)** konnte das Feuer schnell unter Kontrolle bringen und noch

am selben Abend _____ **(12)**.

Geld und Wirtschaft

251. Auf der Bank. Welche Wörter passen nicht?

1. *Geld auf der Bank* überweisen – wechseln – ändern – sparen

2. *das Konto* beenden – eröffnen – schließen – haben

3. *die EC-Karte* beantragen – verlieren – ausfüllen – brauchen

4. *die Überweisung:* die Kontonummer – die Bankleitzahl – die Reform – die Unterschrift

5. *auf der Bank:* der Euro – der Postschalter – das Konto – die Filiale

252. Ich muss Geld abheben. Ergänzen Sie den Dialog und achten Sie auf die richtige Form.

Schalter • bezahlen • überweisen • Geldautomat • Daten • Kontonummer

💬 Können wir noch zur Bank gehen?

💬 Ja, klar. Aber da vorn ist doch auch ein _____ **(1)**. Da kannst du Geld abheben.

💬 Ich weiß, aber ich muss auch eine Überweisung machen. Ich habe die Rechnung für den Internetanschluss noch nicht _____ **(2)**.

💬 Du kannst doch auch online Geld _____ **(3)**.

💬 Ich habe noch kein Onlinebanking. Vielleicht kann ich das gleich am _____ **(4)** beantragen. Was braucht man denn dafür?

💬 Ich glaube, nur die persönlichen _____ **(5)**: Name, Adresse und _____ **(6)**. Aber mach das besser direkt online.

💬 Ja, du hast recht.

Präpositionen: Ich gehe zur Bank
Zu ist eine Präposition mit Dativ. Die Präposition und der Artikel werden meist zusammengezogen:
▶ *zu + der = zur; zu + dem = zum*
In den folgenden Beispielen drückt die Präposition *zu* eine Richtung aus:
▶ *Ich gehe zum Arzt, zum Bäcker, zum Friseur …*
▶ *Ich gehe zur Bank, zur Post …*
Auch: *Ich gehe auf die Post/Bank.*

253. Finanzen. Was zeigen die Bilder? Ordnen Sie zu.

der Gewinn ▪ **die Währungen *(Pl.)*** ▪ **der Euroschein** ▪ **der Börsenkurs** ▪ **die Börse** ▪ **die Euromünze**

1. _____

2. _____

3. _____

4. _____

5. _____

6. _____

Geschäft: Bedeutungen
▶ Laden: *Nebenan hat ein neues Geschäft geöffnet.*
▶ auf Handel und Transaktionen bezogen: *Wir haben ein gutes Geschäft gemacht.*

254. Wirtschaft. Ergänzen Sie die Sätze und achten Sie auf die richtige Form.

exportieren ▪ **importieren** ▪ **sich verschulden** ▪ **Verlust** ▪ **Gewinn**

1. Die Aktien sind gestiegen. Wer sie letztes Jahr gekauft hat, hat _____ gemacht.

2. Um in die neue Fabrik zu investieren, hat _____ die Firma bei mehreren Banken _____.

3. Aus Brasilien _____ Deutschland unter anderem Kaffee.

4. Die Kosten waren viel höher als geplant; die Firma hat am Ende beim Verkauf des Produkts _____ gemacht.

5. Deutschland _____ vor allem Autos und Maschinen ins Ausland.

255. Der Markt. Ergänzen Sie die Adjektive (1–5) und die Verben (6–10).

1. die Finanzen $\longrightarrow$ *finanziell*

2. die Wirtschaft $\longrightarrow$ _____

3. die Technik $\longrightarrow$ _____

4. die Industrie $\longrightarrow$ _____

5. das Geschäft $\longrightarrow$ _____

6. der Handel $\longrightarrow$ _____

7. das Wachstum $\longrightarrow$ _____

8. die Produktion $\longrightarrow$ _____

9. die Herstellung $\longrightarrow$ _____

10. die Konkurrenz $\longrightarrow$ _____

256. Wörter wiederholen: Lösen Sie das Kreuzworträtsel. Die meisten Wörter haben Sie in diesem Kapitel schon kennengelernt.

1. Wir wollen keinen Krieg mehr. Wir wollen …
2. Ich habe auf der Bank einen … aufgenommen. Ich brauche Geld.
3. Die meisten Menschen sind dafür, also die …
4. Er kennt alle Parteien und ihre Programme gut. Er interessiert sich für…
5. Die Angestellten sind gegen die Reform. Sie arbeiten heute nicht, sie …
6. Die wichtigste … in der Europäischen Union ist der Euro.
7. An das … muss man Steuern zahlen.
8. Von der Opposition kam viel …; sie war gegen den Vorschlag.
9. Der Autodieb wird seit drei Wochen von der … gesucht.
10. Die Bundeskanzlerin und die Minister bilden die ….

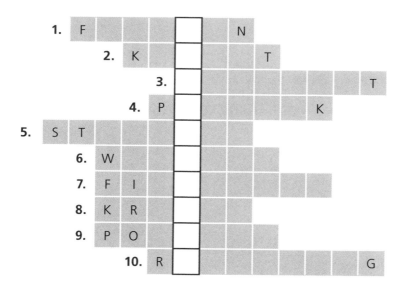

Lösungswort: _____

Geografie: Städte und Länder

257. Eine Landkarte. Ordnen Sie die Wörter der Karte zu.

die Stadt ▪ die Grenze ▪ das Bundesland ▪ der Staat

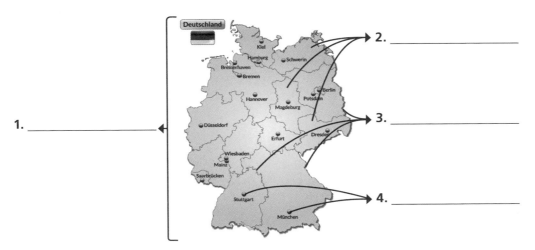

1. _____

2. _____

3. _____

4. _____

Das Land
Das Wort *Land* kann *Staat* (z. B. Frankreich, Polen, Deutschland), aber auch *Bundesland* (z. B. Bayern, Nordrhein-Westfalen, Hessen) bedeuten.

258. Ergänzen Sie die Minidialoge und achten Sie auf die richtige Form.

Bürgermeisterin ▪ Dorf ▪ Einwohner ▪ Grenze ▪ Ort

1. Wie viele _____ hat Köln? – Ich glaube, ungefähr eine Million.

2. Wie heißt die neue _____ dieser Stadt? Ich habe sie

   neulich im Rathaus gesehen. – Das weiß ich nicht.

3. Ich habe keine Lust mehr auf den Lärm und den Verkehr in der Stadt. – Ich auch nicht.

   Am liebsten würde ich in ein kleines _____ ziehen.

4. Dieser _____ ist wirklich sehr klein. – Ja, aber es gibt alles, was

   man braucht: eine Schule, eine Post, eine Bank und ein Krankenhaus.

5. Deutschland hat _____ zu neun Ländern: zu Dänemark, Polen,

   Tschechien, Österreich, der Schweiz, Frankreich, Luxemburg, Belgien und den

   Niederlanden.

259. Was kann man verbinden? Bilden Sie 14 Komposita mit dem Wort STADT und ergänzen Sie die Artikel. Setzen Sie die Komposita dann in die Sätze ein.

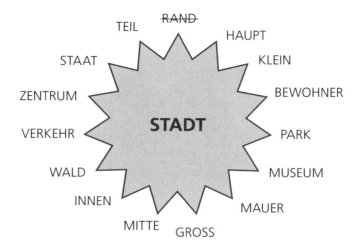

TEIL ~~RAND~~ HAUPT
STAAT KLEIN
ZENTRUM BEWOHNER
VERKEHR **STADT** PARK
WALD MUSEUM
INNEN
MITTE GROSS MAUER

_____der Stadtrand_____, _____, _____,

_____, _____, _____,

_____, _____, _____,

_____, _____, _____,

_____, _____, _____,

1. Wohnst du immer noch in der I_____? – Nein, ich wohne in

   einem ruhigen Viertel am _____Stadtrand_____.

2. München ist eine G_____.

3. Berlin, Hamburg und Bremen sind S_____. Das heißt, sie sind

   nicht nur *Städte*, sondern auch *Staaten* (das bedeutet hier *Bundesländer*).

4. Ich wohne in einer K_____. Sie hat nur 80 000 Einwohner.

5. Die S_____ beschweren sich über den Lärm.

6. Um 17 Uhr ist der S_____ sehr intensiv und chaotisch, weil viele

   von der Arbeit nach Hause fahren.

7. Wie heißt die H_____ Deutschlands? – Berlin.

8. Wie hoch ist die S_____? – Ich glaube, drei Meter.

9. Wir werden heute Nachmittag das S_____ besuchen.

260. Aus dem Lexikon. Ergänzen Sie die Texte und achten Sie auf die richtige Form.

Amtssprache *(2x)* ▪ **Berg** ▪ **Bevölkerung** *(3x)* ▪ **Bundesland** *(2x)* ▪
Fläche *(3x)* ▪ **Fluss** *(2x)* ▪ **Hauptstadt** *(3x)* ▪ **Kanton** ▪ **Deutsch** ▪ **Stadt** *(3x)*

---

1. Deutschland

_____: ca. 82 Mio. Einwohner

_____: Berlin

_____: 357 376 km²

_____: Deutsch

Verwaltung: 16 _____

Die größten _____: Berlin, Hamburg, München, Köln

Der längste _____: Rhein

---

2. Österreich

_____: ca. 8 Mio. Einwohner

_____: Wien

_____: 82 531 km²

Amtssprache: _____

Verwaltung: 9 _____

Die größten _____: Wien, Graz, Linz, Salzburg

Der höchste _____: Großglockner (3 798 m)

---

3. Schweiz

_____: ca. 8 Mio. Einwohner

_____: Bern

_____: 41 290 km²

_____: Deutsch, Französisch, Italienisch, teilweise Rätoromanisch

Verwaltung: 26 _____ (20 Vollkantone, 6 Halbkantone)

Die größten _____: Zürich, Genf, Basel, Bern

Der längste _____: Rhein

261. Ergänzen Sie die Sätze mit den Adjektiven aus den Wortschlangen und achten Sie auf die richtige Form.

städtisch ländlich dörflich regional staatlich zentral

kommunal örtlich bergig natürlich kontinental

1. *Land*   Auf dem Foto sieht man eine _____*ländliche*_____ Gegend.

2. *Kommune*   Wann finden _____ Wahlen

(= *Kommunalwahlen*) statt?

3. *Berg*   Diese Region ist sehr _____.

4. *Stadt*   Die _____ Lebensweise ist oft stressig.

5. *Staat*   Hier können Arbeitslose _____ Hilfe bekommen.

6. *Kontinent*   Das Land hat ein überwiegend _____ Klima

(= *Kontinentalklima*).

7. *Natur*   Ist das ein _____ oder ein künstlicher See?

8. *Region*   Die _____ Züge (= *Regionalzüge*) fahren von Gleis 8 ab.

9. *Dorf*   Es handelt sich um eine _____ Gegend.

10. *Zentrum*   Das Hotel hat eine _____ Lage.

11. *Ort*   Dafür sind die _____ Behörden zuständig.

262. Ordnen Sie zu.

1. Österreich, Deutschland, Italien, Frankreich   **a)** die Staaten

2. Bayern, Hessen, Sachsen, Nordrhein-Westfalen   **b)** der Bürgermeister

3. die Europäische Union   **c)** die Bundesländer

4. das Oberhaupt (der „Chef") einer Stadt   **d)** das Rathaus

5. 29 500 000 Einwohner   **e)** die EU

6. Asien, Australien, Europa   **f)** die Einwohnerzahl

7. das Gebäude der Stadtverwaltung   **g)** die Kontinente

Natur und Umweltschutz

263. Landschaften. Ordnen Sie die Wörter den Bildern zu und ergänzen Sie die Artikel.

Wiese ▪ See ▪ Meer ▪ Berg ▪ Wald ▪ Fluss

1. _____   **2.** _____   **3.** _____

4. _____   **5.** _____   **6.** _____

Der See/die See
Ein See (maskulin) ist von allen Seiten mit Land umgeben.
▶ *Dieser See/der Bodensee/der Starnberger See ist sehr schön.*
Die See (feminin) bedeutet *das Meer.*
▶ *Wir fahren an die See/Ostsee/Nordsee.*

264. Ergänzen Sie die Sätze mit den Wörtern aus der Wortschlange.

s e e i n s e l k ü s t e m e e r s t r a n d u f e r w a l d h i m m e l

1. Sie saßen am U_____ des Flusses.

2. Wir waren zwei Wochen am M_____. Die Kinder haben jeden Tag am

S_____ gespielt.

3. Wo liegt denn diese I_____? – An der kroatischen K_____.

4. Ich habe Angst, allein im W_____ spazieren zu gehen.

5. Der S_____ sieht heute grau aus, weil auch der H_____ grau ist.

265. Suchen Sie das Gegenteil.

1. Dieses Gebiet ist *feucht.*   <u>trocken</u> – regnerisch – flach

2. Die Landstraße ist sehr *breit.*   schmal – mager – klein

3. Die Sonne steht *tief.*   hoch – hell – heiß

4. Das Sonnenlicht ist *stark.*   kurz – klein – schwach

5. Der Strand war *leer.*   voll – hoch – lebendig

6. ein schöner *Sonnenuntergang*   Sonnenschein – Sonnenaufgang – Sonnenfinsternis

7. Das Wasser ist *schmutzig.*   sauber – flüssig – umweltbewusst

8. die Umwelt *schützen*   putzen – verkaufen – zerstören

266. Landschaften beschreiben. Welche Adjektive passen *nicht* zu den Nomen?

1. eine hügelige – ~~besorgte~~ – bergige – flache – ~~unterschriebene~~ – zerstörte *Landschaft*

2. kaltes – zahlreiches – angenehmes – kühles – tiefes – trockenes *Seewasser*

3. ein unbewohntes – bergiges – gekochtes – fruchtbares – wasserarmes *Gebiet*

4. eine felsige – lange – zielstrebige – steinige – inselreiche – fliegende *Küste*

5. ein steiniger – kurvenreicher– gegenteiliger – versteckter – nervöser *Weg*

6. kalter – trockener – kostenpflichtiger – leichter – saurer *Regen*

7. ein wilder – vertrockneter – essbarer – kleiner *Bach*

8. ein breites – feuchtes – bewaldetes – dicht bewohntes – vergessliches *Tal*

9. ein einsamer – sandiger – überwiesener – überfüllter – kleiner *Strand*

10. ein hohes – überraschtes – vulkanisches – schneebedecktes *Gebirge*

267. Hier finden Sie einige Adjektive aus der Übung **266.** Wie lauten die passenden Nomen?

1. bergig: *hat viele* _____ **Berge** _____

2. farbig: *hat viele* _____

3. felsig: *hat viele* _____

4. kurvenreich: *hat viele* _____

5. wasserarm: *hat wenig* _____

6. inselreich: *hat viele* _____

7. steinig: *hat viele* _____

8. bewaldet: *bedeckt mit* _____

268. Aus einer Infobroschüre. Was bedeuten die fett gedruckten Textteile?

Liebe Mitbürgerinnen und Mitbürger,

Umweltschutz liegt uns allen besonders am Herzen (1).
Deshalb bemüht sich unsere Stadtverwaltung, Sie bei einer
umweltgerechten Entsorgung der Abfälle (2) zu unterstützen.
In dieser Broschüre, die Sie auch auf der Internetseite
www.umwelt-stv.de finden können, haben wir die wichtigsten
Informationen für Sie zusammengestellt:
Zur Sperrmüll-Anmeldung (3) können Sie das Formular auf
unserer Seite ausfüllen oder unsere Hotline anrufen.
Gartenabfälle können Sie montags und donnerstags kostenlos in der
Kompostierungsanlage in der Müllergasse 7 abgeben. […] **Wer seinen Sperrmüll
ohne Anmeldung an den Straßenrand stellt, riskiert eine Geldbuße bis zu
5000€. (4)** Für weitere Informationen zum Thema Abfallentsorgung stehen Ihnen
unsere Entsorgungsberaterinnen und -berater unter der Rufnummer 0201 3 38 72 28
zur Verfügung.

Ihre Bürgermeisterin   *Anna Beyer*

1. „Umweltschutz liegt uns besonders am Herzen."
   - **a)** In Umweltfragen muss man immer besonders emotional sein.
   - **b)** Es ist uns sehr wichtig, unsere Umwelt zu schützen.
   - **c)** Umweltverschmutzung führt zu Herzkrankheiten.

2. „umweltgerechte Entsorgung der Abfälle"
   - **a)** Man bringt den Müll weg, ohne dabei der Umwelt zu schaden.
   - **b)** Man bringt Müll illegal weg.
   - **c)** Man behält seine Abfälle immer in der Wohnung.

3. „Zur Sperrmüll-Anmeldung"
   - **a)** um die Stadt zu informieren, dass man großen Hausmüll schon in die Mülltonne geworfen hat
   - **b)** um zu melden, dass die Mülltonne nicht geöffnet werden kann
   - **c)** um bei der verantwortlichen Dienststelle anzukündigen, dass man größeren Hausmüll (z. B. Möbel) entsorgen will

4. „Wer seinen Sperrmüll ohne Anmeldung an den Straßenrand stellt, riskiert eine Geldbuße bis zu 5000 €."
   - **a)** Wer seinen Müll dort entsorgt, wo es nicht erlaubt ist, muss mit einer Geldstrafe rechnen.
   - **b)** Wer seinen Müll illegal verkauft, muss eine Strafe von 5000 € bezahlen.
   - **c)** Wer seinen Müll im Keller lagert, muss eine Gebühr bezahlen.

Tiere und Pflanzen

269. Wie heißen diese Tiere? Ordnen Sie die Wörter den Bildern zu.

der Bär • das Schwein • das Kaninchen • der Löwe • das Pferd • der Vogel

1. _____   2. _____   3. _____

4. _____   5. _____   6. _____

270. Tiere. Ergänzen Sie das Interview.

Haustier • Lieblingstier • Käfig • Tiere • Zoo

🗨 Herr Müller, mögen Sie _____ **(1)**?

💬 Ja, sehr.

🗨 Was ist Ihr _____ **(2)**?

💬 Das ist schwer zu sagen. Ich mag alle Tiere, besonders Hunde, Pferde und Vögel.

🗨 Haben Sie ein _____ **(3)**?

💬 Nein, leider nicht; in unserem Haus darf man keine Tiere halten.

🗨 Gehen Sie manchmal in den _____ **(4)**?

💬 Nicht so oft. Ich finde es eher traurig, Tiere im _____ **(5)** zu sehen.

271. Tiere und Pflanzen zu Hause. Ergänzen Sie die Minidialoge und achten Sie auf die richtige Form.

Blumenstrauß ▪ fressen ▪ füttern ▪ gießen ▪ stellen ▪ Maus

1. Könntest du vielleicht meine Blumen _____, während ich in München bin? – Ja, kein Problem.

2. Hier ist ein _____ für dich. – Danke! Ich _____ ihn sofort in die Vase.

3. Wir könnten nächstes Wochenende ans Meer fahren. – Ja, aber wer wird unsere Kaninchen _____?

4. Was macht denn deine Katze? – Ich glaube, sie hat gerade eine _____ gefangen.

5. Warum willst du deinen Hund zum Tierarzt bringen? – Weil er in letzter Zeit keinen Appetit hat: Er _____ ganz wenig.

272. Ordnen Sie die Wörter den Bildern zu.

das Blatt ▪ der Baum ▪ die Blume ▪ das Gras ▪ das Holz ▪ die Erde

1. _____ 2. _____ 3. _____

4. _____ 5. _____ 6. _____

273. Um welche Tiere handelt es sich? Ergänzen Sie die Sätze und achten Sie auf die richtige Form.

Affe • Biene • Fisch • Hund • Känguru • Löwe • Schlange • Schwalbe

1. _____ sind Zugvögel: Sie fliegen im Herbst nach Süden und im

   Frühling wieder nach Norden.

2. _____ können bellen.

3. Man sagt, der _____ sei der König der Tiere.

4. Einige Tiere können auch gefährlich sein, zum Beispiel giftige _____.

   Auch Insekten können gefährlich sein: Sind Sie schon einmal von einer

   _____ gestochen worden?

5. Gestern waren wir angeln, haben aber leider keinen _____ gefangen.

6. _____ leben in Australien und können sehr weit springen.

7. Die Menschen stammen von den _____ ab.

274. Wilde Tiere, Haustiere, Nutztiere, Insekten. Ordnen Sie ihre Namen in die Tabelle ein.

der Wellensittich • der Wolf • das Wildschwein • der Hund • die Fliege • der Ochse • der Esel • der Stier • der Gepard • die Ziege • die Mücke • die Wespe • das Schaf • der Fuchs

wilde Tiere	Haustiere und Nutztiere	Insekten

275. Ergänzen Sie die Minidialoge und achten Sie auf die richtige Form.

beißen • betreten • impfen • führen • pflücken • sammeln • spazieren • gehen • wachsen

1. Komm, lass uns hier Fußball spielen. – Aber hier steht: „*Bitte den Rasen nicht*

   _____ ".

2. Und, Kinder, wie war es im Wald? – Gut! Wir haben Blumen _____

   und Pilze _____.

3. Warum schneidest du die Zweige und Äste? – Damit der Baum besser

   _____.

4. Haben Sie Ihre Katze schon _____ lassen? – Ja, hier ist der Impfpass.

5. Wollen wir morgen im Wald _____? – Nein, morgen muss ich arbeiten.

6. Was ist denn passiert? – Der Hund hat gerade den Briefträger _____.

7. Hier muss man Hunde an der Leine _____. – Entschuldigung, ich hatte

   das Schild nicht gesehen.

Wetter

276. Ergänzen Sie die Himmelsrichtungen.

Norden • Westen • Südost • Osten • Südwest • Nordwest • Süden • ~~Nordost~~

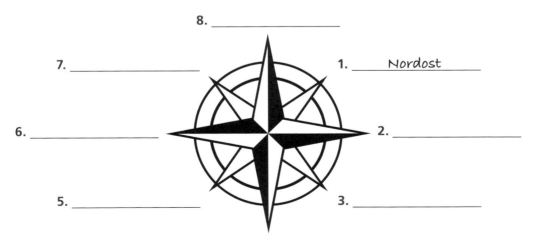

8. _____

7. _____

1. *Nordost*

6. _____

2. _____

5. _____

3. _____

4. _____

277. Wie wird das Wetter heute? Ordnen Sie zu.

Guten Tag, meine Damen und
Herren, hier die Wettervorhersage:

1. Im Nordwesten	**a)** regnet es.
2. Im Nordosten	**b)** ist es warm und sonnig.
3. Im Südosten	**c)** bleibt es bedeckt.
4. Im Westen	**d)** wird es wechselhaft.
5. Im Südwesten	**e)** gibt es Gewitter mit Blitz und Donner.

278. Wetter und Urlaub. Ergänzen Sie die Minidialoge und achten Sie auf die richtige
Form.

bewölkt • **Glatteis** • **Schnee** • **Stern** • **regnen** • **Klima**

1. Wie war denn eure Spanienreise? – Nicht so toll: Es hat die ganze Zeit

_____ .

2. Wo ist mein Regenschirm? – Ich glaube, du brauchst heute keinen. Es ist zwar

_____ , aber es soll nicht regnen.

3. Hast du den Wetterbericht für morgen gehört? – Ja, morgens soll es sehr kalt sein.

Fahr nicht mit dem Auto; es könnte _____ geben.

4. Du fährst also nächste Woche in den Skiurlaub? – Nein, noch nicht; es ist zu warm und

es liegt noch kein _____ .

5. Wie war dein Campingurlaub in Südschweden? – Wunderbar! Ich liebe das raue

nordeuropäische _____ . Nachts ist es ziemlich kalt, aber die Luft ist

so klar, dass man die _____ am Himmel sehen kann.

279. Wetterphänomene. Ordnen Sie die Wörter aus den Wortschlangen in die Tabelle ein und ergänzen Sie bei den Nomen die Artikel.

1.	2.	3.

280. Eine Wettervorhersage. Ordnen Sie zu.

1. Der Wind

2. In Südbayern fällt

3. Die Höchsttemperaturen

4. Im Westen bildet sich

5. Der Himmel bleibt

6. Am Nachmittag gibt es

a) bedeckt.

b) stellenweise Nebel.

c) weht stark bis mäßig.

d) liegen bei 12 Grad.

e) andauernde Regenfälle.

f) Schnee.

> **Das Genus von Himmelsrichtungen, Niederschlägen, Wochentagen, Tagesabschnitten**
> Himmelsrichtungen *(der Norden, der Süden…)* und Niederschläge *(der Regen, der Schnee…)* haben den maskulinen Artikel *(der)*. Auch Wochentage *(der Montag, der Dienstag…)* und die meisten Tagesabschnitte *(der Morgen, der Vormittag, der Abend…)* sind maskulin, aber es gibt einige Ausnahmen: *das Wochenende, die Nacht.*

281. Und noch eine Wettervorhersage. Bilden Sie Komposita und ergänzen Sie den Text.

WETTER • TIEFST • NIEDER • SONNEN • SCHNEE • SCHLÄGE • FÄLLE • VORHERSAGE • SCHEIN • TEMPERATUREN

Guten Tag, meine Damen und Herren, hier ist die W_____ **(1)** für

Freitag. Am Morgen im Norden und Nordwesten heftige N_____ **(2)**;

im Süden und im Osten trocken und relativ warm mit zeitweisem

S_____ **(3)** und T_____ **(4)** zwischen 4 und

7 Grad. Am Nachmittag weht im Norden und im Osten starker bis mäßiger Wind bei

2 Grad; in den Bergen sind vereinzelte S_____ **(5)** möglich.

> **Wettervorhersage ohne Verben**
> In der Wettervorhersage im Radio oder im Fernsehen haben die Sätze manchmal kein Verb, z.B.:
> ▶ *Im Süden warm und sonnig. Im Osten Regen; im Westen bewölkt.*

282. Wörter wiederholen: Lösen Sie das Kreuzworträtsel. Die meisten Wörter haben Sie in diesem Kapitel schon kennengelernt.

1. Samstag und Sonntag bilden das …
2. Nord, Süd, Ost und West sind die vier …
3. In Grad Celsius messen wir die …
4. Starker Wind heißt auch …
5. Schauer, Regen, Schnee nennt man …
6. Man braucht ihn, wenn es regnet: den …

```
1.  [ ]             D E
2. H[ ]                 E N
3.  [ ]         U R
4. S[ ]
5. N[ ]
6.  [ ]             R M
```

Lösungswort: _____

Zeit

283. Wann und wie oft? Ergänzen Sie die Sätze.

heute ▪ selten ▪ manchmal ▪ morgen ▪ dreimal

1. Na, Kinder, was habt ihr _____ in der Schule gemacht? – Wir haben

   angefangen, eine Geschichte zu schreiben. Wir müssen sie zu Hause zu Ende

   schreiben: Das ist die Hausaufgabe für _____.

2. Eigentlich hatte ich geplant, im neuen Jahr _____ in der Woche

   ins Fitnessstudio zu gehen, aber das schaffe ich nicht immer;

   _____ bin ich einfach zu müde, um noch Sport zu machen.

3. Früher war ich donnerstags immer in der Kneipe. Heute gehe ich nur noch sehr

   _____ etwas trinken, da ich wenig Zeit habe.

284. Wie spät ist es? Ordnen Sie die Uhrzeiten den Bildern zu.

**einundzwanzig Uhr ▪ kurz vor zwölf ▪ zehn Uhr zehn ▪ fünf nach neun ▪
Viertel vor neun ▪ halb acht**

1. _____   2. _____   3. _____

4. _____   5. _____   6. _____

285. Heute, morgen, gestern … Ergänzen Sie die Zeitachse.

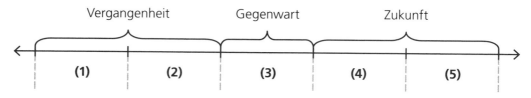

heute • vorgestern • morgen • gestern • ~~übermorgen~~

1. _____

2. _____

3. _____

4. _____

5. _____ übermorgen _____

286. Morgen, Vormittag, Mittag … Ergänzen Sie die Zeitachse.

der Abend • der Nachmittag • der Vormittag • die Nacht • der Mittag • ~~der Morgen~~

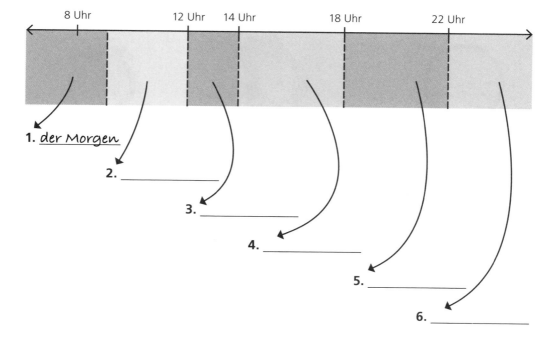

1. _der Morgen_

2. _____

3. _____

4. _____

5. _____

6. _____

287. Zeitangaben. Ordnen Sie die Wörter in die Tabelle ein.

~~jetzt~~ • alle 10 Minuten • heute Abend • übermorgen • damals •
oft • selten • fast immer • morgen früh • gestern • dreimal am Tag

Wann?	Wie oft?
jetzt	

288. Lesen Sie den Terminkalender und ergänzen Sie die Sätze.

April		
12 Montag *11:00 Uhr Zahnarzt*	**15** Donnerstag	
13 Dienstag *9:00–20:00 Uhr Ausflug nach Frankfurt*	**16** Freitag *19:45 Uhr Essen mit Claudia*	
14 Mittwoch *8:15 Uhr Tennis mit Markus*	**17** Samstag	**18** Sonntag *15:00 Uhr Kaffee bei Lisa*

am Morgen • den ganzen Tag • ~~am Vormittag~~ • am Abend • am Nachmittag

1. Am 12. April hat Frank _____*am Vormittag*_____ einen Zahnarzttermin.

2. Am Dienstag ist er _____ in Frankfurt unterwegs.

3. Am Mittwoch spielt er _____ mit seinem Freund Markus Tennis.

4. Am 16. April trifft er _____ Claudia zum Essen.

5. Am Sonntag ist er _____ zum Kaffeetrinken eingeladen.

289. Etwas regelmäßig machen. Bilden Sie aus den Silben Wörter und ergänzen Sie dann die Sätze.

LICH *(2x)* ▪ WÖ ▪ ~~MOR~~ ▪ CHENT ▪ ~~GENS~~ ▪ VOR ▪ MO ▪ TAGS *(3x)* ▪ NAT ▪ MON ▪ SONN ▪ MIT

1. *(Morgen)* _____ **Morgens** _____ brauche ich einen starken Kaffee, um wach zu werden.

2. *(Montag)* Ich gehe immer _____ schwimmen.

3. *(Monat)* Er bezahlt _____ pünktlich seine Miete.

4. *(Woche)* Meine Kollegen und ich treffen uns _____ und sprechen über den Arbeitsplan.

5. *(Sonntag)* _____ treffen wir uns immer zum Kartenspielen.

6. *(Vormittag)* Die Arztpraxis ist diese Woche nur _____ geöffnet.

> **Zeitliche Wiederholung**
> Wie kann man ausdrücken, dass etwas nicht nur einmal, sondern immer wieder passiert?
> ▶ für Wochentage und Tageszeiten: Endung -s
>   *montags, dienstags, mittwochs ...; morgens, mittags, nachmittags ...*
> ▶ für andere Zeitangaben: Endung -lich
>   *stündlich, täglich, wöchentlich, monatlich, jährlich ...*
> ▶ oder: *jede Woche, jeden Tag, jeden Morgen; immer am Montag/Dienstag ...*

290. Rechenaufgaben. Ergänzen Sie die Sätze und achten Sie auf die richtige Form.

Stunde *(2x)* ▪ Woche *(2x)* ▪ Monat *(2x)* ▪ Tag *(3x)* ▪ Jahr ▪ Minute

1. Eine _____ hat 60 _____.

2. Ein _____ hat 24 _____.

3. Eine _____ hat 7 _____.

4. Ein _____ hat etwas mehr als 4 _____.

5. Ein _____ hat 12 _____.

6. Ein Jahr kann 365 oder 366 _____ haben.

291. Wofür stehen die Abkürzungen? Ordnen Sie zu.

1. Dez.	**a)** die Stunde
2. Std.	**b)** die Kalenderwoche
3. Mo.	**c)** die Woche
4. KW	**d)** die Mitteleuropäische Zeit (z. B. in Berlin, Paris, Rom)
5. Aug.	**e)** der Montag
6. MEZ	**f)** der August
7. Wo.	**g)** der Dezember
8. Min.	**h)** die Minute

292. Wie kann man es anders sagen? Ordnen Sie zu.

1. Du kannst mich *jederzeit* anrufen.

2. Mein Bruder kommt mich von *Zeit zu Zeit* besuchen.

3. In der neuen Schule hat er *nach kurzer Zeit* schon sehr gut Deutsch gelernt.

4. Es tut mir leid. Ich habe *zurzeit* leider keine Arbeit für Sie.

5. *Mit der Zeit* habe ich gelernt, mir nicht so viele Sorgen zu machen.

6. Der neue Flughafen wird *in nächster Zeit* eröffnet.

7. *Vor langer Zeit* hat man das Brot noch von Hand gebacken.

a) bald

b) schnell

c) nach und nach

d) früher

e) manchmal

f) momentan

g) immer

> ### Zusammenfassung/Übersicht: Zeitadverbien
> Wie oft?
> ▶ *nie – selten – manchmal – oft – immer*
> Zeiteinheiten
> ▶ *die Sekunde – die Minute – die Stunde – der Tag – die Woche – der Monat – das Jahr*
> Tagesabschnitte
> ▶ *der Morgen – der Vormittag – der Mittag – der Nachmittag – der Abend – die Nacht*
> Wochentage
> ▶ *der Montag – der Dienstag – der Mittwoch – der Donnerstag – der Freitag*
> ▶ *der Samstag* – der Sonntag (= das Wochenende)*
>   **der Samstag:* regional auch *der Sonnabend*

293. Ein Meeting. Finden Sie die Wörter in der Wortschlange und ergänzen Sie die Sätze.

spätquartaldauerndsofortbeendetbeginntdauern

● Petra, beeil dich, das Meeting _____ **(1)** in 10 Minuten, und unsere Präsentation ist die erste.

○ Ist ja gut, ich bin _____ **(2)** fertig.

● Das war das letzte Mal wirklich peinlich. Ich will nicht _____ **(3)** diejenige sein, die zu _____ kommt **(4)**.

○ Ja, das verstehe ich doch. So, jetzt können wir los! Wie lange soll das Treffen _____ **(5)**?

● Nur eine Stunde. Dafür, dass es nur einmal im _____ **(6)** stattfindet, ist es eigentlich sehr kurz.

○ Das stimmt, alle drei Monate ist einfach zu wenig. Und dann ist das Meeting schon _____ **(7)**, bevor man eigentlich richtig diskutieren kann.

294. Was bedeuten die Redewendungen? Ordnen Sie zu.

1. Zeit ist Geld.

2. Es ist fünf vor zwölf.

3. Er versucht, die Zeit totzuschlagen.

4. Er ist am Puls der Zeit.

5. Er liegt gut in der Zeit.

6. Er ist seiner Zeit voraus.

a) Er hat Ideen, die ganz neu sind und die im Moment noch nicht jeder versteht.

b) Er weiß, was aktuell passiert und wichtig ist.

c) Er wird die Arbeit wahrscheinlich in der geplanten Zeit beenden.

d) Es ist fast zu spät.

e) Zeitverlust bedeutet materiellen Verlust.

f) Er hat nichts zu tun und macht irgendetwas, damit ihm die Zeit schneller vergeht.

Tag, Monat, Jahr

295. Jahreszeiten. Bilden Sie Wörter und ordnen Sie sie den Bildern zu.

MER ■ FRÜH ■ TER ■ SOM ■ WIN ■ LING ■ HERBST

1. _____   2. _____   3. _____   4. _____

296. Ergänzen Sie die passenden Wörter aus Übung **295**.

1. blühen – grün – Ostern – Frühjahr   ⟶   der _____

2. rote und gelbe Blätter – Wind – Regen   ⟶   der _____

3. kalt – glatt – weiß – Weihnachten   ⟶   der _____

4. Sonne – Eiscreme – baden – Freibad   ⟶   der _____

297. Schreiben Sie die Monate in der Wortschlange der Reihe nach auf. Ergänzen Sie
auch die Artikel.

n o v e m b e r a u g u s t m ä r z j u l i m a i s e p t e m b e r a p r i l j u n i

1. der Januar   **7.** _____

2. der Februar   **8.** _____

3. _____   **9.** _____

4. _____   **10.** der Oktober

5. _____   **11.** _____

6. _____   **12.** der Dezember

Jänner und Feber
In Österreich sagt man statt „Januar" *Jänner* und selten auch statt „Februar" *Feber*.

298. Ergänzen Sie in jeder Aufgabe das Datum oder den Zeitraum. Benutzen Sie dabei die Wörter aus der Wortschlange.

dreißigstenfünftensiebtendrittezwanzigsten
erstevierundzwanzigstendreizehnte

1. Morgen ist der _____ Mai. *(1. 5.)*

2. Am _____ Dezember ist Heiligabend. *(24. 12.)*

3. Ist der _____ Oktober ein Feiertag? *(3. 10.)*

4. Karl Marx wurde am _____ Mai 1818 geboren. *(5. 5.)*

5. Das Geschäft ist vom _____ April bis zum

_____ April geschlossen. *(7. 4.–20. 4.)*

6. Wir treffen uns am _____ Juni. *(30. 6.)*

7. Ist heute Freitag, der _____? *(13.)*

299. Feste und Feiertage. Kreuzen Sie die richtige Antwort an.

1. Was feiert man am 3. 10.?
  ○ **a)** den Tag der Arbeit
  ○ **b)** den Tag der Deutschen Einheit
  ○ **c)** den Tag des Berliner Mauerfalls

2. Wozu gehört der Karfreitag?
  ○ **a)** zu Ostern
  ○ **b)** zu Pfingsten
  ○ **c)** zu Neujahr

3. Wann findet das Oktoberfest statt?
  ○ **a)** Anfang August bis Ende Oktober
  ○ **b)** Mitte September bis Anfang Oktober
  ○ **c)** Anfang Oktober bis Ende Oktober

4. Was gehört zum Karneval?
  ○ **a)** Ostereier
  ○ **b)** Heiligabend
  ○ **c)** Rosenmontag

ℹ️ **Die fünfte Jahreszeit**
Das Jahr hat vier Jahreszeiten: Frühling, Sommer, Herbst und Winter. Als fünfte Jahreszeit wird in Deutschland im Scherz oft der Karneval oder der Fasching bezeichnet.
Wann beginnt das Münchener Oktoberfest?
Anders als der Name sagt, beginnt das Oktoberfest schon im September.

Zahlen und Maße

300. Zahlen und Nummern. Ordnen Sie die Wörter den Bildern zu und ergänzen Sie die Artikel.

Kleidergröße • **Preis** • **Internationale Bankkontonummer (IBAN)** •
Summe • **Handynummer** • **Postleitzahl**

  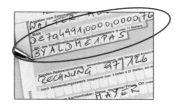

1. _____ 2. _____ 3. _____

4. _____ 5. _____ 6. _____

301. *Zahl oder Nummer?* Wählen Sie das richtige Wort.

💬 Druckerei Föllner, guten Tag. Wie kann ich Ihnen helfen?

🗨 Guten Tag, Meier hier. Ich möchte gern T-Shirts aus Ihrem Katalog drucken lassen.

💬 Sehr gern, Herr Meier. Haben Sie eine Bestell_____**(1)**?

🗨 Ja, das ist die 153/2654.

💬 Danke. Nennen Sie mir noch die Stück_____ **(2)** der T-Shirts?

🗨 Ich nehme zehn.

💬 Dann brauche ich nur noch Ihre Adresse und Telefon_____ **(3)**.

🗨 Das ist Grauweg, Haus_____ **(4)** 12 in Cottbus. Telefon: 0351 58612.

💬 Und die Postleit_____**(5)**?

🗨 Das ist die 03042.

302. Was bedeuten die Symbole in den Mathematikaufgaben? Ergänzen Sie die Erklärungen.

Prozent • mal • ist (gleich) *(4 x)* **• größer • Wurzel • tausend • plus • (geteilt) durch • minus • hoch • kleiner**

1. 12 − 1 = 11

Zwölf _____ eins _____ elf.

2. 3 + 8 = 11

Drei _____ acht _____ elf.

3. 2 x 5 = 10

Zwei _____ fünf _____ zehn.

4. 27 : 9 = 3

Siebenundzwanzig _____ neun _____ drei.

5. 4 > 3

Vier ist _____ als drei.

6. 12 < 21

Zwölf ist _____ als einundzwanzig.

7. 25 % von 12 = 3

Fünfundzwanzig _____ von zwölf ist (gleich) drei.

8. 10^3 = 1 000

Zehn _____ drei ist (gleich) _____.

9. $\sqrt{36}$ = 6

Die _____ aus sechsunddreißig ist (gleich) sechs.

303. Adjektive. Finden Sie für jedes kursive Wort ein Synonym.

1. Die *ganze* Nachbarschaft war bei dem Fest dabei.

2. Wir haben *wenig* Antworten auf unsere Frage bekommen.

3. Die Bürger hatten *sehr viele* Ideen für das Stadtfest.

4. In dem Lift können *maximal* zwölf Personen mitfahren.

5. Das Paket wird in *ungefähr* drei Tagen geliefert.

6. Die Polizei hat *alle* Räume durchsucht.

a) zahlreiche

b) höchstens

c) circa

d) sämtliche

e) gesamte

f) kaum

304. Was bedeuten die Abkürzungen auf den Bildern? Ordnen Sie die Wörter den Bildern zu und ergänzen Sie den Artikel.

Milliliter ▪ **Grad Celsius** ▪ **Kilometer** ▪ **Kilogramm** ▪ **Tonne** ▪ **Zentimeter**

1. _____ 2. _____ 3. _____

  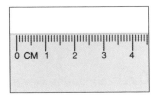

4. _____ 5. _____ 6. _____

305. Zahlen und Anteile. Ergänzen Sie die Sätze.

dutzend hälfte drittel drei viertel anderthalb viertel

Hier die Ergebnisse der Abstimmung: _____ **(1)** *(75 %)*

aller Befragten unterstützen das Projekt. Die _____ **(2)** *(50 %)* ist

dafür, die Arbeit noch dieses Jahr zu beginnen. Ein _____ **(3)**

(ca. 33 %) stimmte dafür, den örtlichen Schulen mehr Geld zu geben, ein

_____ **(4)** *(25 %)* für mehr Wohnungen.

Die Wahlbeteiligung lag bei 65 %, es gab ein _____ **(5)** *(12)*

ungültige Stimmen. Die Abstimmung war nach _____ **(6)**

(= eineinhalb) Stunden *(90 Minuten)* beendet.

306. *Einzeln* oder *einzig?* Wählen Sie das richtige Wort und achten Sie auf die richtige Form.

1. Die _____ Möglichkeit, die wir haben, ist, dem Vorschlag

zuzustimmen.

2. Das Hochwasser hat _____ Häuser stark beschädigt.

3. _____ Studenten haben sich der Demonstration angeschlossen.

4. Die Sorge von Frau Grau ist verständlich. Hans-Peter ist ihr

_____ Sohn.

5. Bitte _____ eintreten!

6. Die Tickets für die Veranstaltung werden nur _____ verkauft.

7. Es war das _____ Mal, dass ich mich verspätet habe, und sofort

merkt es der Chef!

307. Zeit, Raum, Gewicht. Ordnen Sie die Wörter in die Tabelle ein.

3,4 kg • **30 Kilometer** • **2 Wochen** • **3 Pfund** • **21 m** • **ein Jahrhundert** •
600 Gramm • **2 Semester** • **120 qm** • **ein Halbjahr** • **2 Tonnen** • **12 km²** •
drei Jahrzehnte • **10 cm** • **ein halbes Kilo** • **ein Millimeter** • **ein Monat**

Zeit	Raum (Länge, Höhe, Fläche …)	Gewicht

308. Wörter wiederholen: Lösen Sie das Kreuzworträtsel. Die meisten Wörter haben Sie in diesem Kapitel schon kennengelernt.

1. 100 Jahre.
2. Er hat keine Geschwister: Er ist ein …
3. Ein Ganzes plus die Hälfte ist gleich …
4. Wenn man ein Ganzes in drei gleiche Teile teilt, erhält man drei …
5. Wie heißt das Nomen zu dem Adjektiv *halb*?
6. Wenn man etwas ohne Pause oder immer wieder macht.
7. Ein anderes Wort für *ungefähr*.
8. Ein Adverb, das die obere Grenze von etwas beschreibt; maximal.
9. Eine andere Bezeichnung für *zwölf Stück*.
10. Ein anderes Wort für *am Morgen*.
11. Ein Viertel eines Kalenderjahres.

```
 1.      J                    ☐
 2.   E  I                    ☐
 3.A  N                       ☐
         4.  D  R             ☐
             5.  H            ☐
             6.  D            ☐
                 7.           ☐        C  A
             8.  H            ☐
                 9.  D        ☐
        10.  M                ☐
        11.  Q  U             ☐
```

Lösungswort: _____

Ein Dutzend/Dutzende
Das Wort *Dutzend* bedeutet
► eine Einheit von 12 Stück: *Ein Dutzend (= 12) Eier kostet zwei Euro.*
► eine große Anzahl: *Ich erhalte täglich Dutzende (= sehr viele) E-Mails.*

Informationen zur Person

Vorstellung und Begrüßung

1. **begrüßen:** hi, guten Morgen, grüß Gott, guten Tag
   verabschieden: auf Wiedersehen, adieu, tschüss, bis bald, auf Wiederhören

2. **1.** b; **2.** a; **3.** c; **4.** b; **5.** a; **6.** b

3. **1.** Wie schön, dass ihr da seid! **2.** Es freut mich, Sie kennenzulernen. **3.** Hallo, Tim, wie gehts? **4.** Herzlich willkommen! **5.** Ich bin Doktor Sassnitz – und wie heißt du?

4. **1.** heißt du; **2.** dein; **3.** kommst du; **4.** heißt ihr; **5.** euer; **6.** kommt ihr; **7.** heißen Sie ; **8.** Ihr; **9.** kommen Sie

5. 2. – 7. – 1. – 8. – 3. – 5. – 4. – 6.

6. 3. – 6. – 2. – 7. – 4. – 5. – 1.

7. **1.** Hallo, Petra; **2.** Dich; **3.** Deinen; **4.** Ihr; **5.** Liebe Grüße; **6.** Sehr geehrte Damen und Herren; **7.** Sie; **8.** Ihre; **9.** Sie; **10.** Mit freundlichen Grüßen

Persönliche Angaben

8. **1.** i; **2.** b; **3.** h; **4.** a; **5.** e; **6.** c; **7.** f; **8.** g; **9.** d

9. **1.** Jugendliche; **2.** Ehepaar; **3.** Kinder; **4.** Senioren; **5.** Frauen; **6.** Männer

10. **1.** der Name; **2.** der Vorname; **3.** die Staatsangehörigkeit; **4.** der Geburtsname; **5.** das Geburtsdatum; **6.** der Geburtsort; **7.** die Unterschrift; **8.** die Augenfarbe; **9.** der Ort (Wohnort); **10.** die Postleitzahl; **11.** die Anschrift; **12.** die Größe; **13.** das Datum; **14.** die Straße; **15.** die Hausnummer

11. **1.** heißt; **2.** Geburtsname; **3.** geboren; **4.** Geburtstag; **5.** groß; **6.** Augen; **7.** wohnt; **8.** Adresse

12. **2.** volljährig; **3.** weiblich; **4.** geboren

    a) geboren; **b)** weiblich; **c)** volljährig; **d)** geschieden

Länder und Sprachen

13. **1.** Polen; **2.** Schweden; **3.** Russland; **4.** Deutschland; **5.** die Niederlande; **6.** Österreich; **7.** Frankreich; **8.** Spanien; **9.** die Türkei

14. **Europa:** die Schweiz, Norwegen, Rumänien
    Nordamerika: Kanada, USA;
    Südamerika: Brasilien, Chile, Argentinien;
    Afrika: Marokko, Somalia, der Sudan;
    Asien: Japan, Indien, Afghanistan;
    Australien

15. **1.** Deutsch; **2.** Griechisch; **3.** Portugiesisch; **4.** Niederländisch; **5.** Tschechisch; **6.** Bulgarisch; **7.** Ungarisch; **8.** Französisch; **9.** Arabisch; **10.** Finnisch

16. **1.** albanisch; **2.** Indien; **3.** chinesisch; **4.** kolumbianisch; **5.** Rumänien; **6.** syrisch; **7.** die Slowakei; **8.** pakistanisch; **9.** Kanada; **10.** saudi-arabisch; **11.** England; **12.** kroatisch; **13.** die Ukraine; **14.** iranisch; **15.** Serbien; **16.** eritreisch; **17.** italienisch; **18.** belgisch; **19.** Dänemark; **20.** US-amerikanisch; **21.** Russland; **22.** afghanisch; **23.** Portugal; **24.** irakisch; **25.** Frankreich; **26.** lettisch

17. **2.** ein Schweizer, eine Schweizerin; **3.** ein Deutscher, eine Deutsche; **4.** ein Spanier, eine Spanierin; **5.** ein Türke, eine Türkin; **6.** ein Libanese, eine Libanesin; **7.** ein Algerier, eine Algerierin; **8.** ein Chinese, eine Chinesin

Gefühle und Eigenschaften

18. ☺ Gut, danke. Super! Mir geht es sehr gut. Bestens!
    ☺ So lala. Na ja, es geht so. Es geht.
    ☹ Leider nicht gut. Sehr schlecht.

19. **1.** krank; **2.** müde; **3.** enttäuscht; **4.** aufgeregt; **5.** langweilig; **6.** fröhlich; **7.** neugierig; **8.** verliebt; **9.** ehrlich

20. 2. klug; **3.** faul; **4.** kraftlos; **5.** passiv; **6.** alt; **7.** unehrlich; **8.** respektlos; **9.** unpünktlich; **10.** humorlos; **11.** groß; **12.** unsympathisch; **13.** fantasielos; **14.** ruhig; **15.** unzufrieden; **16.** fröhlich

21. 1. ängstlich; **2.** traurig; **3.** ehrgeizig; **4.** wütend; **5.** rücksichtslos; **6.** temperamentvoll

22. **positive Eigenschaften:** selbstlos, großzügig, nett, zuverlässig, zärtlich, treu, loyal; **negative Eigenschaften:** egoistisch, grob, unverantwortlich, unordentlich, gefühllos

23. 1. Nachteule; **2.** Pechvogel; **3.** Versuchskaninchen; **4.** Spaßvogel; **5.** Bücherwurm, Leseratte

24. 1. Anschrift; **2.** kraftlos; **3.** geschieden; **4.** erwachsen; **5.** Personalien; **6.** Ausweis; **7.** temperamentvoll; **8.** enttäuscht
Lösungswort: Nachname

Körper und Gesundheit

Körperteile und Aussehen

25. 1. die Nase; **2.** der Kopf; **3.** die Zähne (Pl.); **4.** die Haare (Pl.); **5.** das Auge; **6.** das Ohr; **7.** der Mund; **8.** der Arm; **9.** der Rücken; **10.** der Bauch; **11.** der Finger; **12.** die Hand; **13.** das Bein; **14.** das Knie; **15.** der Fuß

26. 1. Finger; **2.** Mund; **3.** Hand; **4.** Händen; **5.** Augen

27. 1. dunkle; **2.** braun; **3.** breite; **4.** kurze; **5.** dünne; **6.** hässlich; **7.** kleine; **8.** trauriges; **9.** schlank

28. 1. Das Herz; **2.** Die Schultern; **3.** Knochen; **4.** Der Magen; **5.** Nägel; **6.** Haut; **7.** Das Gesicht

Körperpflege

29. 1. abtrocknen; **2.** kämmen; **3.** schneiden; **4.** putzen; **5.** waschen; **6.** eincremen; **7.** duschen; **8.** rasieren; **9.** schminken

30. 1. wasche mir; **2.** trockne mich; **3.** kämme mir; **4.** putze … mir; **5.** schminke mich; **6.** rasiere … mir; **7.** creme mich; **8.** schneide mir

31. 1. Zahnpasta; **2.** Handtuch; **3.** Schere; **4.** Kamm, Bürste; **5.** Seife; **6.** Friseur; **7.** Föhn; **8.** Creme

Körper und Sinne

32. 1. atmen, riechen; **2.** zusehen, sehen, lesen, ansehen; **3.** schreiben, fühlen, winken, anfassen, tasten; **4.** küssen, atmen, trinken, schmecken; **5.** gehen, laufen; **6.** zuhören, hören

33. 1. zugehört; **2.** gehen, laufen; **3.** schmeckt; **4.** riecht; **5.** winkt; **6.** schreiben; **7.** schmeckt; **8.** atmen; **9.** geküsst

34. 1. a und c; **2.** a und c; **3.** a und b; **4.** a und b; **5.** b und c; **6.** a und c

35. 1. müde; **2.** verliebt; **3.** Finger; **4.** atmen; **5.** sich verletzen; **6.** Rasierapparat; **7.** Schminke; **8.** Knie; **9.** traurig; **10.** Handschuh

36. **die Figur:** 1. breit; **2.** schlank; **die Sinne:** 3. sehen; **4.** riechen; **5.** schmecken; **6.** hören; **7.** tasten (fühlen); **der Oberkörper:** 8. der Arm; **9.** die Schulter; **der Unterkörper:** 10. das Knie; **11.** der Fuß; **Kosmetik und Körperpflege:** **12.** Seife waschen; **13.** Zahnpasta putzen; **14.** bürsten oder kämmen; **15.** rasieren

Gesundheit und Krankheit

37. 1. tief; **2.** Bauchschmerzen; **3.** Diät; **4.** versichert; **5.** Mund; **6.** Schulter

38. 1. Mir; **2.** schlecht; **3.** krank; **4.** Kopfschmerzen; **5.** Fieber; **6.** heiß; **7.** hoch; **8.** weh; **9.** tun; **10.** besser; **11.** Arzt; **12.** Besserung

39. 1. Ich habe eine starke Erkältung und Fieber. **2.** Nein, leider nicht.

3. Wie lange? **4.** Ja, vor drei oder vier Monaten. **5.** Ja, hier, bitte.

40. **1.** Erkältung; **2.** Schnupfen; **3.** Unfall; **4.** Fieber, bleiben; **5.** Wunde; **6.** Medikament

41. **1.** die Salbe; **2.** das Pflaster; **3.** der Hustensaft; **4.** die Tabletten (Pl.); **5.** die Tropfen (Pl.); **6.** die Medikamente (Pl.)

42. **Arzt/Ärztin:** 1, 3, 4, 7, 9, 10; **Patient/Patientin:** 2, 5, 6, 8

43. **Arzt/Ärztin:** 1, 5, 6, 8, 10, 11, 13, 14, 15; **Patient/Patientin:** 2, 3, 4, 7, 9, 12

44. **1.** schlecht; **2.** schwach; **3.** erschöpft; **4.** satt; **5.** ruhig; **6.** aufgeregt; **7.** schlimm

45. **1.** Ernährung; **2.** Vitamine; **3.** fettes; **4.** Süßigkeiten; **5.** ungesund; **6.** Körperliche; **7.** spazieren; **8.** treiben; **9.** stressig; **10.** schlafen; **11.** positiv

46. **1.** blutet; **2.** husten; **3.** erkältet; **4.** untersucht; **5.** Verletz; **6.** verbrennen; **7.** rettet

47. **1.** geschnitten; **2.** wehgetan; **3.** verbrannt; **4.** eingenommen; **5.** erkältet; **6.** schwitze; **7.** gemessen; **8.** verschrieben; **9.** operieren; **10.** pflegt; **11.** geblutet; **12.** erholt; **13.** gebrochen

48. **1.** Entschuldigung; **2.** Sehr geehrter; **3.** kommen; **4.** Unfall; **5.** verletzt; **6.** Kinderarzt; **7.** krankgeschrieben

49. **1.** Krankenpfleger; **2.** Notaufnahme; **3.** Krankenkasse; **4.** Notruf; **5.** Krankenschwester; **6.** Notausgang; **7.** Notfall; **8.** Krankenwagen

Familie, Freunde, Kontakte

Meine Familie

50. **1.** Mann; **2.** Tochter; **3.** Mutter; **4.** Eltern; **5.** Schwester; **6.** Bruder

51. **1.** Mädchen; **2.** Ehefrau; **3.** Onkel; **4.** Großmutter, Mama

52. **1.** Vater; **2.** Großvater; **3.** Schwiegermutter; **4.** Geschwister; **5.** Bruder

53. **1.** Schwiegermutter; **2.** Cousins; **3.** Nichten; **4.** Enkelkinder; **5.** Schwägerinnen; **6.** Schwiegersohn; **7.** Enkelin

54. **1.** Partner; **2.** getrennt; **3.** geschieden; **4.** Ehe; **5.** Exmann

55. **1.** Trennung; **2.** Scheidung; **3.** Verlobung; **4.** Heirat; **5.** Geburt; **6.** Verwandten; **7.** Erziehung

56. **1.** Großmutter; **2.** Halbschwester; **3.** Schwiegertochter; **4.** Schwägerin; **5.** Schwiegermutter; **6.** Nichte; **7.** Enkelin

Freunde, Kollegen, Nachbarn

57. **1.** Freundin; **2.** kennengelernt; **3.** Freund; **4.** kenne; **5.** sympathisch; **6.** Bekannte

58. **1.** Freund; **2.** Bekannter; **3.** Nachbarin; **4.** Kollege; **5.** Partnerin

59. **1.** gefällt; **2.** mag; **3.** gefällt; **4.** unfreundlich; **5.** freundlich; **6.** gesehen

60. **1.** Du; **2.** duzen; **3.** Du, siezen, Du; **4.** siezt, duzt; **5.** Sie, duzt; **6.** Sie, siezen

61. **1.** j; **3.** c; **4.** h; **5.** e; **6.** a; **7.** d; **8.** f; **9.** g; **10.** i

62. **1.** Freundschaft; **2.** Unhöflichkeit; **3.** Sympathie; **4.** Persönlichkeit; **5.** Nachbarschaft; **6.** Partnerschaft; **7.** Fröhlichkeit

Liebesbeziehungen

63. **1.** Freundin; **2.** zusammenleben; **3.** liebe; **4.** küssen; **5.** sich ... verliebt; **6.** Sex; **7.** ledig

64. **1.** Sie küssen sich. **2.** Sie streiten sich. **3.** Sie halten Händchen. **4.** Sie umarmen sich.

65. **1.** jmdn. einladen; **2.** apolitisch; **3.** Medikament; **4.** Lieblingsschauspielerin

Einladungen, Verabredungen, Besuche

66. **1.** Geburtstagsfeier; **2.** Picknick; **3.** Besuch im Krankenhaus; **4.** jemandem etwas schenken; **5.** Einladung; **6.** auf jemanden warten; **7.** einen Freund besuchen; **8.** Grillparty; **9.** Termin

67. **1.** feiern; **2.** kommen; **3.** danke; **4.** gern; **5.** Einladung; **6.** mitbringen; **7.** Geschenk; **8.** Idee

68. **1.** organisieren; **2.** einladen; **3.** weiß; **4.** kommen; **5.** gesprochen; **6.** mitbringen; **7.** trinken

69. **2.** e; **3.** a; **4.** d; **5.** b; **6.** f; **7.** g

70. **JA (annehmen):** Danke, sehr gern. Wir kommen gern. Ich nehme die Einladung an.
NEIN (höflich ablehnen): Ich muss leider absagen. Das geht leider nicht. Danke, aber am Samstag haben wir Gäste. Leider sind wir schon verabredet.

71. **1.** Einladung; **2.** feiern; **3.** besuchen; **4.** treffen; **5.** Geschenk; **6.** verabreden; **7.** absagen; **8.** Angebot; **9.** sprechen; **10.** unterhalten; **11.** Diskussion

72. **2.** das Familienfest; **3.** das Schulfest; **4.** der Verwandtenbesuch; **5.** die Geburtstagskarte; **6.** die Verlobungsfeier; **7.** das Hochzeitsgeschenk; **8.** das Hochzeitsfest; **9.** das Klassentreffen; **10.** die Terminverschiebung; **11.** die Terminabsage; **12.** die Abschiedsfeier; **13.** der Besuchstermin; **14.** die Hochzeitseinladung

73. **1.** reden; **2.** uns ... unterhalten; **3.** verabredet; **4.** Besuch; **5.** passt; **6.** habe .... vor

Essen und Trinken

Essen

74. **1.** der Apfel; **2.** die Tomate; **3.** das Brot; **4.** das Brötchen; **5.** der Käse; **6.** die Brezel; **7.** die Spaghetti; **8.** die Birne; **9.** der Pilz

75. **1.** süß; **2.** scharf; **3.** süß; **4.** salzig; **5.** scharf; **6.** sauer; **7.** süß; **8.** sauer

76. **Obst:** der Apfel, die Banane, die Erdbeere, die Birne;
Gemüse: die Gurke, die Paprika, die Tomate;
Getreide: der Reis;
Milchprodukte: der Käse, der Joghurt, der Quark;
Fisch und Fleisch: die Wurst, der Thunfisch, der Lachs, das Würstchen;
Backwaren: das Baguette, der Kuchen, das Brot

77. 2. – 5. – 3. – 4. – 1. – 6.

78. **1.** durstig; **2.** fettig; **3.** sahnig; **4.** fruchtigen; **5.** salzig; **6.** hungrig

79. **Schwein:** der Schinken, der Speck;
Rind: das Beefsteak, das Rindersteak, der Rinderbraten;
Geflügel: das Hähnchen, die Pute, die Ente

80. **1.** einnehmen; **2.** abschalten; **3.** Haushalt; **4.** verschenken; **5.** gezahlt; **6.** Meeresfrüchte; **7.** Bohnen; **8.** Autohändler; **9.** Pfirsich; **10.** Jahrmarkt

81. **2.** c; **3.** e; **4.** b; **5.** f; **6.** a

82. **1.** b; **2.** c

83. **1.** die Sahne; **2.** der Käse; **3.** das Obst; **4.** die Paprika; **5.** die Gurke; **6.** das Brötchen / das Brot; **7.** der Kuchen; **8.** das Würstchen; **9.** der Schinken; **10.** der Fisch

Getränke

84.

A	L	L	O	E	Q	A	D	W
N	B	W	I	G	C	O	L	A
M	D	E	E	M	T	X	W	S
B	F	I	P	S	O	E	I	S
I	I	N	K	A	F	F	E	E
E	M	K	T	I	P	T	A	R
R	O	S	C	H	N	A	P	S

85. **2.** eine Flasche Wasser; **3.** ein Glas Orangensaft; **4.** eine Tasse Espresso; **5.** ein Kännchen Tee; **6.** eine Dose Cola; **7.** ein Glas Wein

86. **2.** das Mineralwasser; **3.** der Kräutertee; **4.** der Karottensaft; **5.** die Zitronenlimo(nade); **6.** der Milchkaffee; **7.** der Orangensaft; **8.** die Apfelschorle

87. **kalt:** die Limonade, das Bier, der Tomatensaft, der Eistee, der Weißwein, die Cola, der Bananensaft;
heiß: die heiße Schokolade, der Kaffee, der Espresso, der schwarze Tee, der Cappuccino, die heiße Zitrone, der grüne Tee

88. **alkoholisch:** das Bier, der Rotwein, der Whiskey, der Schnaps, der Weißwein, der Likör;
alkoholfrei: die heiße Schokolade, der Tee, die Cola, die Limo(nade), der Milchkaffee, der Saft, das Mineralwasser

Mahlzeiten und Kochen

89. **1.** das Frühstück; **2.** das Mittagessen; **3.** das Kaffeetrinken; **4.** das Abendessen

90. **1.** das Messer; **2.** das Ei; **3.** die Butter; **4.** die Marmelade; **5.** das Kännchen; **6.** die Brötchen (Pl.); **7.** die Tasse Kaffee; **8.** der Orangensaft; **9.** das Müsli; **10.** der Teller; **11.** die Gabel; **12.** das Obst; **13.** die Zeitung

91. **1.** b; **2.** c; **3.** d; **4.** e; **5.** a

92. **1.** schneiden; **2.** rühren; **3.** schälen; **4.** hinzugeben; **5.** anbraten; **6.** hacken

93. **1.** geschrieben; **2.** Mitternacht; **3.** Sporthalle; **4.** Speisekarte

94. **1.** Gramm; **2.** schälen; **3.** schneiden; **4.** schneiden; **5.** Topf; **6.** hinzugeben; **7.** Pfanne; **8.** hacken; **9.** dekorieren; **10.** Appetit

Auswärts essen

95. **1.** reserviert; **2.** Tisch; **3.** Vorspeise; **4.** Hauptgericht; **5.** Salat; **6.** vegetarischen; **7.** gewählt; **8.** Spezialität; **9.** geschmeckt; **10.** danke; **11.** Nachtisch; **12.** satt; **13.** zahlen; **14.** Zusammen

96. **1.** bringen; **2.** Cappuccino; **3.** Kännchen; **4.** Stück; **5.** nehme; **6.** Vanilleeis

97. **1.** der Gast; **2.** sich trennen; **3.** zu Hause bleiben; **4.** der Urlaub; **5.** faul; **6.** humorlos; **7.** verpassen

98. **1.** a; **2.** a; **3.** c; **4.** b

99. **1.** d; **2.** b; **3.** c; **4.** g; **5.** f; **6.** a; **7.** e

100. **1.** Gericht 2;
2. Gerichte 2, 4;
3. Gerichte 1, 2, 4;
4. Gerichte 2, 3, 4, 6;
5. Gericht 2

Wohnen

Haus und Wohnung

101. **1.** das Kinderzimmer; **2.** das Wohnzimmer; **3.** die Küche; **4.** das Schlafzimmer; **5.** die Garage; **6.** das Badezimmer (= das Bad)

102. **2.** i; **3.** a; **4.** j; **5.** h; **6.** c; **7.** d; **8.** e; **9.** b; **10.** g

103. **1.** Wohnung; **2.** frei; **3.** anschauen; **4.** passt; **5.** Stock; **6.** Wiederhören

104. **1.** das Reihenhaus; **2.** das Hausboot; **3.** das Hochhaus; **4.** das Einfamilienhaus; **5.** das Pflegeheim; **6.** das Gästezimmer

105. **1.** hell; **2.** kleine; **3.** leer; **4.** teuer;
5. sauberes; **6.** laut

106. **1.** Vermieter; **2.** Mietvertrag; **3.** mietet;
4. vermietet; **5.** Miete

107. **1.** Wohngemeinschaft; **2.** Zimmer,
Küche, Bad; **3.** Quadratmeter; **4.** Bahn-
hof; **5.** Kaltmiete; **6.** Nebenkosten;
7. Monatsmieten; **8.** Telefon

108. **1.** Klingel, Erdgeschoss; **2.** Aufzug;
3. Treppenhaus; **4.** Betreten;
5. schließen

109. **1.** zieht … aus; **2.** verpackt;
3. einziehen; **4.** Beziehst; **5.** bepackt;
6. ziehst … ein, renoviert, feiern; **7.** be-
ziehen; **8.** verpacken; **9.** auszuziehen

110. **1.** e; **2.** c; **3.** a; **4.** b; **5.** d

111. **2.** tropfte; **3.** repariert; **4.** kaputt;
5. funktioniert; **6.** öffnen; **7.** einge-
richtet; **8.** Steckdose; **9.** Aufenthalt

Einrichtung

112. **1.** der Tisch; **2.** der Schrank; **3.** das
Sofa; **4.** das Regal; **5.** der Stuhl; **6.** die
Kommode; **7.** das Bett; **8.** der Sessel;
9. die Lampe; **10.** die Gardine; **11.** der
Spiegel; **12.** das Waschbecken

113. **2.** zentral; **3.** ruhige; **4.** kaputt;
5. gemütliche; **6.** möbliert; **7.** teuer

114.

A	G	E	L	B	S	Z	E	W
T	L	S	V	R	R	T	ß	E
G	C	B	L	A	U	G	M	I
R	ß	L	W	U	O	R	T	ß
A	P	H	R	N	K	Ü	N	P
U	C	G	O	R	A	N	G	E
S	B	U	T	O	D	Z	S	I

Haushaltsgeräte

115. **1.** der Herd; **2.** die Waschmaschine;
3. der Kühlschrank; **4.** die Kaffee-
maschine; **5.** der Ofen; **6.** die Mikro-
welle; **7.** der Fernseher; **8.** der Toaster;
9. der Fernseher

116. **1.** c; **2.** c; **3.** a; **4.** b; **5.** b; **6.** b; **7.** a; **8.** b

117. **2.** a; **3.** e; **4.** b; **5.** c

Hausarbeiten

118. **1.** Wäsche; **2.** Fenster; **3.** Geschirr;
4. Schreibtisch; **5.** Blumen; **6.** Müll

119. **1.** Mülltonnen; **2.** Garage; **3.** Terrasse;
4. Aussicht; **5.** Pfand

120. **2.** Jahr; **3.** Brot; **4.** Teppich; **5.** Urlaub;
6. Möbel

121. **Küchengeräte:** der Wasserkocher,
der Mixer;
Reinigungsgerät: der Staubsauger;
zur Körperpflege: der Haartrockner
(= der Föhn), der Rasierer;
zur Wäschepflege: das Bügeleisen,
der Wäscheständer;
Werkzeug: die Bohrmaschine,
der Hammer;
Unterhaltungselektronik: der Laut-
sprecher, der Fernseher, das Radio

122. **1.** Mikrowelle; **2.** Bügeleisen;
3. Lautsprecher; **4.** Wasserkocher;
5. Wäscheständer; **6.** Herd
Lösungswort: Wecker

123. **1.** b; **2.** a; **3.** c; **4.** b

124. **1.** der Staubsauger; **2.** das Geschirr-
tuch; **3.** der Besen; **4.** die Toiletten-
bürste; **5.** der Putzeimer; **6.** der
Schwamm

125. **1.** Hausarbeit; **2.** Haushalt;
3. Heimarbeit; **4.** Heimat

126. **1.** das Altpapier; **2.** das Altglas;
3. der Sondermüll; **4.** der gelbe Sack;
5. der Biomüll

1. Zeitungen, Kartons
2. Weinflaschen, Marmeladengläser
3. Batterien
4. Plastikflaschen ohne Pfand,
Joghurtbecher
5. Obstreste, Brotreste, Blumen
6. Kugelschreiber, kaputte Schuhe

L

Ausbildung und Arbeit

Schule, Ausbildung, Studium

127. **1.** das Lineal; **2.** der Bleistift; **3.** das Heft; **4.** der Kugelschreiber; **5.** der Radiergummi; **6.** das Papier

128. **2.** nehmen; **3.** bestellen; **4.** wissen; **5.** studieren; **6.** stellen

129. **1.** Klasse; **2.** Fächer; **3.** Noten; **4.** Zeugnis; **5.** Pause; **6.** Stunden; **7.** Stundenplan; **8.** Hausaufgaben; **9.** Klassenarbeit; **10.** fleißig; **11.** Ferien

130. **1.** Mathematik; **2.** Chemie; **3.** Sport; **4.** Geografie; **5.** Biologie; **6.** Musik; **7.** Sprachen: Deutsch, Englisch, Französisch

131. **1.** üben; **2.** antworten; **3.** prüft; **4.** Wiederholst; **5.** bedeutet; **6.** erklärt; **7.** korrigiert; **8.** Löst; **9.** verbessern

132. **1.** Lösung, Aufgabe; **2.** Schreibtisch; **3.** Grundschule; **4.** Prüfung; **5.** Rucksack; **6.** Klassenfahrt; **7.** Schulzeit; **8.** Block; **9.** Taschenrechner; **10.** Reihe

133. **1.** studiert; **2.** kenne, studieren; **3.** lernen; **4.** studiere, lerne; **5.** kenne, weiß; **6.** weiß, gelernt; **7.** Weißt; **8.** kenne

134. **1.** Kindergarten; **2.** Grundschule; **3.** Schultypen; **4.** Realschule; **5.** Abschluss; **6.** Ausbildung; **7.** Gymnasium; **8.** Abitur; **9.** Studium; **10.** Gesamtschule

135. **1.** Ausbildung; **2.** Praktische; **3.** Berufsschule; **4.** Ausbildungsberufe; **5.** Bachelorabschluss; **6.** Master

136. **1.** entscheiden; **2.** länger; **3.** Karrierechancen; **4.** Praktikum; **5.** Praxisorientiertes; **6.** werden; **7.** Ziele

137. **1.** g; **2.** e; **3.** a; **4.** d; **5.** c; **6.** f; **7.** b

Arbeitssuche und Bewerbung

138. **1.** geboren; **2.** besucht; **3.** gemacht; **4.** gereist; **5.** begonnen; **6.** gearbeitet; **7.** gesammelt; **8.** kennengelernt; **9.** abgeschlossen

139. **1.** kreativ; **2.** teamfähig; **3.** motiviert; **4.** zuverlässig; **5.** Kollegen; **6.** Gehalt; **7.** Arbeitszeiten; **8.** spannende

140. **2.** g; **3.** b; **4.** f; **5.** h; **6.** d; **7.** e; **8.** a

141. **1.** Sprachkenntnisse; **2.** Bewerbungsmappe; **3.** Berufserfahrung; **4.** Auslandsaufenthalt; **5.** Vorstellungsgespräch; **6.** Gehaltsvorstellung; **7.** Stellenangebot; **8.** Personalchefin; **9.** Weiterbildung; **10.** Arbeitszeugnis

142. **1.** Aufgaben; **2.** Voraussetzungen; **3.** abgeschlossene; **4.** mehrjährige; **5.** Kenntnisse; **6.** Fähigkeit; **7.** erwartet; **8.** Unterlagen

Arbeits- und Berufswelt

143. **1.** f; **2.** a; **3.** b; **4.** d; **5.** g; **6.** e; **7.** c

144. **1.** der Koch / die Köchin; **2.** der Journalist / die Journalistin; **3.** der Arzt / die Ärztin; **4.** der Busfahrer / die Busfahrerin; **5.** der Bäcker / die Bäckerin; **6.** der Gärtner / die Gärtnerin; **7.** der Physiotherapeut / die Physiotherapeutin; **8.** der Kellner / die Kellnerin; **9.** der Ingenieur / die Ingenieurin

145. **1.** beruflich, arbeitslos; **2.** Arbeitsplatz; **3.** Ausbildung; **4.** Team; **5.** Stelle; **6.** Freizeit; **7.** verdienen

146. **2.** d, k: Eine Kellnerin bringt Essen und Getränke im Restaurant. **3.** f, i: Eine Sekretärin plant Termine und schreibt E-Mails im Büro. **4.** g, l: Ein Lehrer unterrichtet an einer Schule. **5.** a, m: Ein Mechaniker repariert Maschinen in einer Werkstatt. **6.** b, n: Eine Rezeptionistin reserviert Zimmer im Hotel. **7.** e, h: Ein Fotograf macht Fotos im Fotostudio.

147. **1.** Beruf; **2.** gegründet; **3.** Arbeitgeber; **4.** Mitarbeiter; **5.** Stellen; **6.** keine Stelle; **7.** angestellt; **8.** gekündigt; **9.** selbstständig.

Im Büro

148. **1.** der Bildschirm; **2.** der Ordner; **3.** die Tastatur; **4.** der Drucker; **5.** die Maus; **6.** der Stempel; **7.** die Büroklammer; **8.** der USB-Stick; **9.** der Textmarker

149. **1.** ausmachen; **2.** verstecken; **3.** einfüllen; **4.** beantworten; **5.** besuchen; **6.** verlassen; **7.** abhören; **8.** drücken; **9.** ausschließen

150. **1.** Sitzung; **2.** Überstunden; **3.** Stress; **4.** Urlaub; **5.** vertreten; **6.** übernehmen; **7.** unterstützen; **8.** Projekt; **9.** in Rente; **10.** schönen Feierabend

151. **1.** a, b; **2.** b, c; **3.** a, b; **4.** a, c

152.

Einkaufen und Geschäfte

Im Supermarkt

153. **1.** der Gang; **2.** das Regal; **3.** die Kundin; **4.** die Kasse; **5.** der Einkaufswagen; **6.** die Theke; **7.** die Verkäuferin; **8.** die Kassiererin

154. **1.** mit Wechselgeld; **2.** ein Rezept; **3.** teuer; **4.** billig; **5.** Gute Nacht! **6.** Ich bezahle 20 €. **7.** zugeben; **8.** in den Schrank

155. **1.** einkaufen; **2.** brauchen; **3.** Liter; **4.** Abendessen; **5.** Kilo; **6.** Markt; **7.** bekomme; **8.** Einkaufstasche

156. **1.** b; **2.** c; **3.** e; **4.** d; **5.** f; **6.** a

157. **1.** Bioladen; **2.** Obsthändler; **3.** Flohmarkt; **4.** Einkaufszentrum; **5.** Buchhandlung; **6.** Tankstelle

158. **1.** b und c; **2.** a und c; **3.** b und c; **4.** b und c

159. **1.** d; **2.** c; **3.** e, **4.** f; **5.** a; **6.** g; **7.** b

Im Kaufhaus

160. **1.** Lebensmittel; **2.** Damenmode; **3.** Kosmetikartikel; **4.** Herrenmode; **5.** Kindermode; **6.** Elektrogeräte; **7.** Bettwäsche; **8.** Kundendienst; **10.** im zweiten Stock; **11.** im ersten Stock; **12.** im Erdgeschoss; **13.** im dritten Stock; **14.** im vierten Stock; **15.** im ersten Stock

161. **1.** Kasse; **2.** anprobieren; **3.** Schaufenster; **4.** Angebot; **5.** anstellen; **6.** Umkleidekabinen; **7.** einpacken

162. **1.** a und b; **2.** b und c; **3.** b und c ; **4.** a

163. **1.** Beratung; **2.** Lieferung; **3.** Mode; **4.** Garantie; **5.** Qualität; **6.** Preise

Kleidung

164. **2.** schmutzig; **3.** modern; **4.** weit; **5.** unbequem; **6.** hässlich; **7.** kurz; **8.** dunkelblau

165. **1.** die Bluse; **2.** der Rock; **3.** der Mantel; **4.** der Stiefel; **5.** das Kleid; **6.** die Socke; **7.** der Pullover; **8.** der Turnschuh; **9.** die Jacke; **10.** das T-Shirt; **11.** die Hose; **12.** der Hut; **13.** der Anzug; **14.** das Hemd

166. **2.** steht; **3.** Nummer; **4.** weit; **5.** probier; **6.** nehmen; **7.** trägst

167. **1.** ein Brauch; **2.** putzen; **3.** bügeln; **4.** die Größe; **5.** das Gewicht

168. **1.** Bestellung; **2.** Baumwolle; **3.** Einzelpreis; **4.** Leder; **5.** gebraucht; **6.** Lieferdatum; **7.** Rechnungsadresse; **8.** Gesamtpreis; **9.** zurückgeben; **10.** kostenlosen

169. **1.** die Regenjacke; **2.** der Schlafanzug; **3.** der Jogginganzug; **4.** der Blazer; **5.** der Gürtel; **6.** die Krawatte

170. **1.** stecken; **2.** waschen; **3.** aufhängen, trocknen; **4.** bügeln; **5.** zusammenlegen; **6.** reinigen

171. **am Strand:** der Bikini, die Sandalen (Pl.), der Badeanzug, die Badehose;
im Winter: der Skianzug, der Schal, der Mantel, der Handschuh, die Mütze;
unter der Kleidung: die Unterhose, der BH (= der Büstenhalter), der Slip, die Strumpfhose, die Boxershorts, das Unterhemd

172. **1.** gefällt; **2.** Kaufhäuser; **3.** Designerläden; **4.** Kleid; **5.** Anzüge; **6.** preiswerte; **7.** Schlangen; **8.** schicke; **9.** shoppen; **10.** Sommerschlussverkauf

Accessoires

173. **1.** das Tattoo; **2.** die Kette; **3.** die Uhr; **4.** der Ring; **5.** die Perle; **6.** der Ohrring

174. **1.** Feuerzeug, Streichhölzer (Pl.); **2.** Regenschirm; **3.** Taschentuch; **4.** Schlüssel; **5.** Sonnenbrille; **6.** Portemonnaie

175. **1.** Holz; **2.** Papier; **3.** Brieftasche; **4.** Wechselgeld; **5.** Nagel

176. **1.** die Schlange; **2.** die Umkleidekabine; **3.** die Kasse; **4.** auf dem Flohmarkt; **5.** im Einkaufszentrum; **6.** im Bioladen; **7.** reduziert; **8.** preiswert; **9.** günstig; **10.** die Kette; **11.** der Ring; **12.** sich beschweren; **13.** umtauschen; **14.** reklamieren; **15.** zurückgeben; **16.** die Schuhe; **17.** die Stiefel; **18.** die Sandalen; **19.** der Pullover; **20.** das T-Shirt; **21.** die Krawatte; **22.** das Hemd; **23.** der Rock; **24.** die Bluse

Freizeit, Sport, Unterhaltung

Freizeit und Hobbys

177. **1.** Klavier spielen; **2.** lesen; **3.** Musik hören; **4.** spazieren gehen; **5.** telefonieren; **6.** malen; **7.** basteln; **8.** fotografieren; **9.** fernsehen

178. **1.** Freizeit; **2.** Hobbys; **3.** interessiere; **4.** Spielst; **5.** spiele; **6.** am liebsten; **7.** Konzert; **8.** Idee

179. **Ich spiele** … Fußball, Karten, Klavier, Handball;
Ich lese … Zeitung, Bücher, Comics;
Ich höre … Radio, Musik, Hörbücher

180. **1.** a und c; **2.** a und b; **3.** a und c; **4.** a und c; **5.** a und b; **6.** a und b

181. **1.** Rad fahren; **2.** Buchhandlung; **3.** Song; **4.** Unterricht; **5.** Tanz; **6.** lesen; **7.** Handball spielen; **8.** reiten

182. **2.** c; **3.** g; **4.** a; **5.** d; **6.** e; **7.** f

183. **1.** c; **2.** a; **3.** b; **4.** f; **5.** d; **6.** e; **7.** i; **8.** g; **9.** h; **10.** k; **11.** j; **12.** l; **13.** n; **14.** o; **15.** m

184. **1.** spielen Hockey; **2.** spielt … Puppe; **3.** singt … Lied

185. **1.** d; **2.** a; **3.** b; **4.** c; **5.** f; **6.** e

186. **1.** Spielzeug, reitet, geht … spazieren, verbringt; **2.** Chor, singen

187. **1.** Freizeit; **2.** Feierabend; **3.** Urlaubsfotos; **4.** Fotoapparat; **5.** Kinotipps

188. **1.** fernsehen; **2.** kochen; **3.** Beispiel, **4.** Kind; **5.** Audiodatei; **6.** Buch; **7.** Schreibheft; **8.** Tanzkurs; **9.** laufen; **10.** Kabarett; **11.** Farbe; **12.** E-Book

Sport

189. **1.** laufe; **2.** schwimmen; **3.** segeln; **4.** gerudert; **5.** Fußball

190. **1.** Nehmen … teil, Team; **2.** Mannschaft, gewinnen; **3.** Schwimmbad; **4.** Laufübung

191. **1.** Sporthalle; **2.** Segelboot; **3.** Fußballstadion; **4.** Schwimmbad; **5.** Handballspieler; **6.** Tennisball; **7.** Handballverein; **8.** Tennisplatz

192. **1.** das Surfen; **2.** das Yoga; **3.** das Joggen; **4.** das Tauchen

193. **2.** verloren; **3.** Glück; **4.** unsportlich; **5.** unfair; **6.** Siege; **7.** Gastspielen

194. **1.** Eiskunstlauf, Sportgeschäft; **2.** steht, Tor, Führung; **3.** Ergebnis; **4.** gerudert, gespielt, trainiere; **5.** Surfbrett; **6.** Ski fahren

195. Kampfsportarten: Boxen, Judo, Kung-Fu, Karate;
Eissport und Wintersport: Eiskunstlauf, Schlittschuh fahren, Ski fahren, Snowboard fahren;
Ballsport: Rugby, Golf, Volleyball, Wasserball, Baseball, Squash, Basketball;
Wassersport: Tauchen, Rudern, Wasserball, Schnorcheln, Segeln

Kultur: Kino, Theater, Museen ...

196. 2. stattfinden; **3.** läuft, gelesen; **4.** besucht; **5.** dauert; **6.** erkundigen

197. 1. vorn; **2.** Eingang; **3.** frei; **4.** geschlossen; **5.** interessant; **6.** Sitzplatz; **7.** Schwarz-Weiß-Film; **8.** private

198. 1. c; **2.** d; **3.** e; **4.** a; **5.** b

199. 1. Öffnungszeiten (Pl.); **2.** Abendkasse; **3.** Reihe, Plätze; **4.** ausverkauft, gehen; **5.** ansehen, Schauspieler; **6.** Garderobe

200. 1. T.: malen; W.: Gemälde;
2. P.: Zeichner, Zeichnerin; W.: Zeichnung;
3. P.: Künstler, Künstlerin; T.: –;
4. P.: Komponist, Komponistin; T.: komponieren; W.: Komposition;
5. P.: Fotograf, Fotografin; T.: fotografieren; W.: Fotografie;
6. P.: Rockmusiker, Rockmusikerin; T: –; W.: Rocklied, Rockmusik

201. 1. b; **2.** d; **3.** a; **4.** c

202. 1. Warteschlange(n); **2.** ausfallen; **3.** Vorverkauf; **4.** Publikum, geklatscht, Reaktionen; **5.** Führung

203. 1. die Kunstgalerie; **2.** das Museum; **3.** das Bild; **4.** die Spielregel; **5.** die Ausstellung; **6.** das Konzert; **7.** langweilig; **8.** das Krankenhaus; **9.** der Schriftsteller; **10.** der Nachtklub

Reisen

Öffentliche Verkehrsmittel

204. 1. der Waggon, der Hauptbahnhof, der Bus, der Zug, der Bahnsteig, der Busfahrer, die U-Bahn, die Straßenbahn, der Schlafwagen; **2.** der Flug, der Pilot, der Flughafen; **3.** die Fähre, das Boot, das Schiff, der Hafen

205. 1. Flugbegleiter; **2.** Tourist; **3.** Sand; **4.** Postkarte; **5.** liegen; **6.** Fahrrad

206. 1. aussteigen; **2.** umsteigen; **3.** einsteigen

207. 1. b; **2.** i; **3.** c; **4.** h; **5.** g; **6.** a; **7.** d; **8.** e; **9.** f

208. 1. Abfahrt; **2.** Gleis; **3.** abgefahren, Gleis; **4.** beeilen; **5.** kommt ... an; **6.** Verspätung, **7.** fährt ... ab

209. 1. nehmen, Haltestelle; **2.** fährt, Fahrplan; **3.** Fahrkarte, Automat; **4.** Verspätung; **5.** Gleis; **6.** Taxistand; **7.** Betreten; **8.** ausfallen

210. Verkäufer/Verkäuferin (V): 1, 3, 6, 7
Kunde/Kundin (K): 2, 4, 5, 8

211. 1. Flug; **2.** Verspätung; **3.** Landung; **4.** Zugfahrt; **5.** Bahnhofsdurchsage(n); **6.** Flugkapitän

212. 1. verpasst, erreichen; **2.** liegen lassen, Wagennummer; **3.** Schließfächer; **4.** Anzeige

213. Zugfahrt; Fluggesellschaft; Zugverspätung, Flugverspätung; Anschlusszug, Anschlussflug; Zugbegleiter, Flugbegleiter; Flugkapitän; Zugführer; Zugverkehr, Flugverkehr; Flugangst; Zugverbindung, Flugverbindung; Zugschienen

Private Verkehrsmittel

214. 1. das Auto; **2.** das Fahrrad; **3.** das Motorrad; **4.** die Tankstelle; **5.** der Lastwagen; **6.** die Fußgänger (Pl.); **7.** die Autobahn; **8.** der Parkplatz; **9.** die Kurve

215. 1. Parkplatz; **2.** Lastwagen; **3.** Auto; **4.** Kurven

216. **1.** a und b; **2.** b und c; **3.** b und c; **4.** a und b; **5.** a und b; **6.** a und b; **7.** a und b; **8.** a und c

217. **2.** c; **3.** e; **4.** d; **5.** f; **6.** a

218. **1.** Autohändler; **2.** Mietwagen; **3.** Fußgängerzone; **4.** Baustelle; **5.** Motorradführerschein; **6.** Fahrbahn

219. **1.** a; **2.** c; **3.** g; **4.** b; **5.** d; **6.** f; **7.** e

Reisen und Tourismus

220. **1.** machst, verreisen; **2.** Reise; **3.** fahren, planen; **4.** fahrt, Hauptsaison; **5.** Ausland; **6.** Reisebüro

221. **1.** Strandurlaub; **2.** Urlaub auf dem Land; **3.** Fahrradurlaub

222. **1.** befahren; **2.** hören; **3.** besuchen; **4.** umfahren; **5.** mitbringen; **6.** lernen; **7.** reservieren; **8.** ausleihen; **9.** gehen; **10.** anschauen

223. **1.** Reiseführer; **2.** Reiseleiterin; **3.** Beratung; **4.** Reiseveranstalter; **5.** fotografiert; **6.** wandern; **7.** Fremdenverkehrsbüro; **8.** unterwegs; **9.** Schloss; **10.** verbracht

224. **1.** Sehenswürdigkeiten; **2.** Heimfahrt; **3.** Heimflug; **4.** Reiseberatung; **5.** Touristengruppe; **6.** Reisegesellschaft; **7.** Touristeninformation; **8.** Reiseleiter

225. **1.** Osterwochenende; **2.** Reisende; **3.** Kurzurlaub; **4.** Staus; **5.** Autobahn; **6.** Polizeisprecherin

Orientierung

226. **A.** können, geradeaus, rechts; **B.** weit, gehen, links; **C.** komme, Nähe, Brücke, nach; **D.** fragen, Meter, Kreuzung; **E.** suche, zeige, Ampel

227. **1.** schwer; **2.** das Auto; **3.** der Reiseleiter; **4.** Passen Sie auf! **5.** fliegen; **6.** nordwestlich; **7.** ... ich gehe fremd. **8.** Wald

228. **1.** e; **2.** d; **3.** a; **4.** b; **5.** c
Verkehrsdurchsagen: 4. b; **5.** c

229. **1.** a; **2.** f; **3.** e; **4.** d; **5.** b; **6.** c
Verkehrszeichen: 2, 4, 5

230. **1.** pünktlich; **2.** Taxifahrer; **3.** Achtung; **4.** Auskunft; **5.** Flieger; **6.** Ausstieg.
Lösungswort: Ticket

Gesellschaft, Politik, Wirtschaft

Institutionen und Behörden

231. **1.** das Krankenhaus; **2.** die Feuerwehr; **3.** die Bank; **4.** die Polizei; **5.** das Rathaus **6.** die Post

232. **2.** Geburtsdatum; **3.** Geburtsort; **4.** Staatsangehörigkeit; **5.** Familienstand; **6.** Personalausweisnummer; **7.** Aufenthaltserlaubnis; **8.** Adresse; **9.** Telefonnummer

233. **1.** alleinigen Wohnung; **2.** 01.05.2016; **3.** 20259; **4.** Eimsbütteler Chaussee; **5.** 5; **6.** 01.05.2016 **7.** 20257; **8.** Rellinger Straße; **9.** 12; **10.** Moreau; **11.** Jacques; **12.** m; **13.** Pavlova; **14.** Andrea; **15.** w; **16.** 04.06.1964; **17.** verheiratet; **18.** französisch; **19.** 03.12.1966; **20.** verheiratet; **21.** slowakisch

234. **1.** die Gesundheitskarte; **2.** das Bargeld; **3.** die Fahrkarte; **4.** der Führerschein; **5.** der Pass; **6.** die Kreditkarte

235. **1.** beantragen; **2.** ausfüllen; **3.** Unterlagen; **4.** Einkommen; **5.** ziehen

236. **1.** a und b; **2.** a und c; **3.** a und c; **4.** a und b; **5.** a und c; **6.** a und c; **7.** a und c; **8.** b und c

237. **2.** f; **3.** b; **4.** c; **5.** d; **6.** g; **7.** a

Post und Telefon

238. **1.** der Absender; **2.** der Umschlag; **3.** die Briefmarke; **4.** der Empfänger

239. **1.** Briefmarke; **2.** Paket; **3.** Preis; **4.** Werktage; **5.** Schalter; **6.** geöffnet; **7.** geschlossen; **8.** Automaten

240. **1.** d; **2.** a; **3.** c; **4.** b

241. **1.** b; **2.** b; **3.** c

242. **1.** c; **2.** a; **3.** b; **4.** b; **5.** b; **6.** a

Politik und Aktuelles

243. **1.** gefährlich; **2.** demokratischen;
3. kritisch; **4.** aktuell; **5.** sozial.

244. **1.** wählen; **2.** regieren; **3.** gewinnen;
4. kritisieren; **5.** vorschlagen; **6.** sich ...
entscheiden

245. **1.** Parteien; **2.** Bürger; **3.** Bundes-
kanzler, Minister; **4.** Regierungsmit-
glieder; **5.** Parlament; **6.** Opposition

246. **1.** ZDF; **2.** Surrealismus; **3.** Bundes-
straße; **4.** Versicherung; **5.** Bundesrat

247. **1.** der Bundespräsident; **2.** der Arbeits-
minister; **3.** der Umweltminister;
4. der Kultusminister; **5.** die Wirt-
schaftsministerin; **6.** die Bundeskanzle-
rin; **7.** Bundesländer; **8.** Bundesland;
9. der Bundestag; **10.** Bundesrepublik

248. **1.** der Krieg; **2.** reich; **3.** sozial; **4.** die
Minderheit; **5.** dagegen; **6.** ungerecht;
7. verlieren; **8.** der Tod; **9.** gewaltlos;
10. kompromissbereit

249. **1.** Unterstützen; **2.** Gleichberechtigung;
3. protestieren; **4.** militärische;
5. fordern; **6.** Krieg(e)

250. **1.** Beitrittskandidaten; **2.** Verhandlun-
gen; **3.** Reform; **4.** gestreikt; **5.** ver-
langen; **6.** Gesetz; **7.** verletzt; **8.** Polizei;
9. Halteverbot; **10.** bestraft;
11. Feuerwehr; **12.** löschen

Geld und Wirtschaft

251. **1.** ändern; **2.** beenden; **3.** ausfüllen;
4. Reform; **5.** der Postschalter

252. **1.** Geldautomat; **2.** bezahlt; **3.** über-
weisen; **4.** Schalter; **5.** Daten; **6.** Konto-
nummer

253. **1.** die Euromünze; **2.** die Währun-
gen (Pl.); **3.** der Euroschein; **4.** die
Börse; **5.** der Gewinn; **6.** der Börsen-
kurs

254. **1.** Gewinn(e); **2.** sich ... verschuldet;
3. importiert; **4.** Verlust(e); **5.** exportiert

255. **2.** wirtschaftlich; **3.** technisch;
4. industriell; **5.** geschäftlich;
6. handeln; **7.** wachsen; **8.** produzieren;
9. herstellen; **10.** konkurrieren

256. **1.** Frieden; **2.** Kredit; **3.** Mehrheit;
4. Politik; **5.** streiken; **6.** Währung;
7. Finanzamt; **8.** Kritik; **9.** Polizei;
10. Regierung
Lösungswort: Demokratie

Geografie, Natur, Wetter

Geografie: Städte und Länder

257. **1.** der Staat; **2.** das Bundesland;
3. die Grenze; **4.** die Stadt

258. **1.** Einwohner; **2.** Bürgermeisterin;
3. Dorf; **4.** Ort; **5.** Grenzen

259. die Hauptstadt, die Kleinstadt,
der Stadtbewohner, der Stadtpark,
das Stadtmuseum, die Stadtmauer,
die Großstadt, die Stadtmitte,
die Innenstadt, der Stadtwald,
der Stadtverkehr, das Stadtzentrum,
der Stadtstaat, der Stadtteil

1. Innenstadt; **2.** Großstadt; **3.** Stadt-
staaten; **4.** Kleinstadt; **5.** Stadtbewoh-
ner; **6.** Stadtverkehr; **7.** Hauptstadt;
8. Stadtmauer; **9.** Stadtmuseum

260. **1.** Bevölkerung, Hauptstadt, Fläche,
Amtssprache, Bundesländer, Städte,
Fluss; **2.** Bevölkerung, Hauptstadt,
Fläche, Deutsch, Bundesländer, Städte,
Berg; **3.** Bevölkerung, Hauptstadt,
Fläche, Amtssprachen, Kantone, Städte,
Fluss

261. **2.** kommunale; **3.** bergig; **4.** städtische;
5. staatliche; **6.** kontinentales; **7.** natür-
licher; **8.** regionalen; **9.** dörfliche;
10. zentrale; **11.** örtlichen

262. **1.** a; **2.** c; **3.** e; **4.** b; **5.** f; **6.** g; **7.** d

Natur und Umweltschutz

263. **1.** der Berg; **2.** der Fluss; **3.** der See,
4. die Wiese; **5.** das Meer; **6.** der Wald

264. **1.** Ufer; **2.** Meer, Strand; **3.** Insel, Küste; **4.** Wald; **5.** See, Himmel

265. **2.** schmal; **3.** hoch; **4.** schwach; **5.** voll; **6.** Sonnenaufgang; **7.** sauber; **8.** zerstören

266. **2.** zahlreiches, trockenes; **3.** gekochtes; **4.** zielstrebige, fliegende; **5.** gegenteiliger, nervöser; **6.** trockener, kostenpflichtiger; **7.** essbarer; **8.** vergessliches; **9.** überwiesener; **10.** überrastes

267. **2.** Farben; **3.** Felsen; **4.** Kurven; **5.** Wasser; **6.** Inseln; **7.** Steine; **8.** Wald

268. **1.** b; **2.** a; **3.** c; **4.** a

Tiere und Pflanzen

269. **1.** das Kaninchen; **2.** das Pferd; **3.** der Bär; **4.** der Vogel; **5.** das Schwein; **6.** der Löwe

270. **1.** Tiere; **2.** Lieblingstier; **3.** Haustier; **4.** Zoo; **5.** Käfig

271. **1.** gießen; **2.** Blumenstrauß, stelle; **3.** füttern; **4.** Maus; **5.** frisst

272. **1.** die Erde; **2.** der Baum; **3.** das Blatt; **4.** das Holz; **5.** die Blume; **6.** das Gras

273. **1.** Schwalben; **2.** Hunde; **3.** Löwe; **4.** Schlangen, Biene **5.** Fisch; **6.** Kängurus; **7.** Affen

274. **wilde Tiere:** der Wolf, das Wildschwein, der Gepard, der Fuchs; **Haustiere und Nutztiere:** der Wellensittich, der Hund, der Ochse, der Esel, der Stier, die Ziege, das Schaf; **Insekten:** die Fliege, die Mücke, die Wespe

275. **1.** betreten; **2.** gepflückt, gesammelt; **3.** wächst; **4.** impfen; **5.** spazieren gehen; **6.** gebissen; **7.** führen

Wetter

276. **2.** Osten; **3.** Südost; **4.** Süden; **5.** Südwest; **6.** Westen; **7.** Nordwest; **8.** Norden

277. **1.** e; **2.** a; **3.** b; **4.** c; **5.** d

278. **1.** geregnet; **2.** bewölkt; **3.** Glatteis; **4.** Schnee; **5.** Klima, Sterne.

279. **1.** die Sonne, sonnig, warm, heiß, der Sonnenschein, heiter; **2.** bedeckt, die Wolke, wolkig; **3.** der Regen, der Schnee, der Niederschlag, schneien

280. **1.** c; **2.** f; **3.** d; **4.** b; **5.** a; **6.** e

281. **1.** Wettervorhersage; **2.** Niederschläge; **3.** Sonnenschein; **4.** Tiefsttemperaturen; **5.** Schneefälle

282. **1.** Wochenende; **2.** Himmelsrichtungen; **3.** Temperatur; **4.** Sturm; **5.** Niederschläge; **6.** Regenschirm. **Lösungswort:** Wetter

Zeit, Zahlen, Maße

Zeit

283. **1.** heute, morgen; **2.** dreimal, manchmal; **3.** selten

284. **1.** Viertel vor neun; **2.** zehn Uhr zehn; **3.** kurz vor zwölf; **4.** neun Uhr; **5.** fünf nach neun; **6.** halb acht

285. **1.** vorgestern; **2.** gestern; **3.** heute; **4.** morgen

286. **2.** der Vormittag; **3.** der Mittag; **4.** der Nachmittag; **5.** der Abend; **6.** die Nacht

287. **Wann?** heute Abend, übermorgen, damals, morgen früh, gestern; **Wie oft?** alle 10 Minuten, oft, selten, fast immer, dreimal am Tag

288. **2.** den ganzen Tag; **3.** am Morgen; **4.** am Abend; **5.** am Nachmittag

289. **2.** montags; **3.** monatlich; **4.** wöchentlich; **5.** Sonntags; **6.** vormittags

290. **1.** Stunde, Minuten; **2.** Tag, Stunden; **3.** Woche, Tage; **4.** Monat, Wochen; **5.** Jahr, Monate; **6.** Tage

291. **1.** g; **2.** a; **3.** e; **4.** b; **5.** f; **6.** d; **7.** c; **8.** h

292. **1.** g; **2.** e; **3.** b; **4.** f; **5.** c; **6.** a; **7.** d; **8.** h

L

293. **1.** beginnt; **2.** sofort; **3.** dauernd; **4.** spät; **5.** dauern; **6.** Quartal; **7.** beendet

294. **1.** e; **2.** d; **3.** f; **4.** b; **5.** c; **6.** a

Tag, Monat, Jahr

295. **1.** Sommer; **2.** Winter; **3.** Herbst, **4.** Frühling

296. **1.** der Frühling; **2.** der Herbst; **3.** der Winter; **4.** der Sommer

297. **3.** der März; **4.** der April; **5.** der Mai; **6.** der Juni; **7.** der Juli; **8.** der August; **9.** der September; **11.** der November

298. **1.** erste; **2.** vierundzwanzigsten; **3.** dritte; **4.** fünften; **5.** siebten, zwanzigsten; **6.** dreißigsten; **7.** dreizehnte

299. **1.** b; **2.** a; **3.** b; **4.** c

Zahlen und Maße

300. **1.** die Summe; **2.** der Preis; **3.** die IBAN; **4.** die Postleitzahl; **5.** die Kleidergröße; **6.** die Handynummer

301. **1.** Bestellnummer; **2.** Stückzahl; **3.** Telefonnummer; **4.** Hausnummer; **5.** Postleitzahl

302. **1.** minus, ist (gleich); **2.** plus, ist (gleich); **3.** mal, ist (gleich); **4.** (geteilt) durch, ist (gleich); **5.** größer; **6.** kleiner; **7.** Prozent; **8.** hoch, tausend; **9.** Wurzel

303. **1.** e; **2.** f; **3.** a; **4.** b; **5.** c; **6.** d

304. **1.** der Kilometer; **2.** das Kilogramm; **3.** das Grad Celsius; **4.** der Milliliter; **5.** die Tonne; **6.** der Zentimeter

305. **1.** Drei Viertel; **2.** Hälfte; **3.** Drittel; **4.** Viertel; **5.** Dutzend; **6.** anderthalb

306. **1.** einzige; **2.** einzelne; **3.** Einzelne; **4.** einziger; **5.** einzeln; **6.** einzeln; **7.** einzige

307. **Zeit:** 2 Wochen, ein Jahrhundert, 2 Semester, ein Halbjahr, drei Jahrzehnte, ein Monat;
Raum: 30 Kilometer, 21 m, 120 qm, 12 km², 10 cm, ein Millimeter;
Gewicht: 3,4 kg, 3 Pfund, 600 Gramm, 2 Tonnen, ein halbes Kilo

308. **1.** Jahrhundert; **2.** Einzelkind; **3.** anderthalb; **4.** Drittel; **5.** Hälfte; **6.** dauernd; **7.** circa; **8.** höchstens; **9.** Dutzend; **10.** morgens; **11.** Quartal
Lösungswort: unbefristet

Register

Für jedes Wort haben wir ein oder zwei Seiten ausgewählt, auf denen Sie es finden.

Aus Platzgründen stehen im Register nur wenige Nomen für weibliche Personen. Zu den meisten Nomen für männliche Personen kann man mit der Endung *-in* (Pl. *-innen*) auch eine feminine Form bilden:

▶ *der* **Freund** – *die* **Freundin**;
die **Freunde** – *die* **Freundinnen**

Wenn es ein eigenes Wort gibt, finden Sie es aber im Register:

▶ *der* **Neffe** – *die* **Nichte**

In Übung **56, 58** und **144** können Sie wiederholen, wie man die femininen Formen bildet.

A

abbiegen · to turn · ينعطف   *132*
der **Abend,** *-e* · evening · المساء   *162*
abfahren · to leave · يقلع   *120*
der **Abfall,** *Abfälle* · waste · القمامة   *67*
abholen · to collect, to pick up · يلتقط   *138*
das **Abitur** · German school leaving examinations (British: A-levels) · امتحان اتمام الدراسة الثانوية   *81*
die **Abkürzung,** *-en* · abbreviation · الاختصار   *65*
ablehnen · to refuse · يرفض   *45*
absagen · to decline, to cancel · يلغي   *45*
abschließen · to graduate · ينهي دراسته   *83*
der **Abschluss,** *Abschlüsse* · graduation, qualification · المؤهل الدراسي   *81*
der **Absender,** *-* · sender · المرسل   *137*
abtrocknen · to dry · يجفف   *22*
das **Accessoire,** *-s* · accessory · الاكسوار   *102*
die **Adresse,** *-n* · address · العنوان   *12*
der **Affe,** *-n* · monkey · القرد   *156*
ähnlich · similar · متشابه   *59*
aktiv · active · نشيط   *17*
aktuell · current · حالي   *139*
alkoholisch · alcoholic · كحولي   *54*
allergisch · allergic · حساسية ضد   *60*
der **Alltag** · everyday life · الحياة اليومية   *140*
alt · old · مسن   *17*
das **Altglas** · waste glass · نفايات الزجاج   *76*

das **Altpapier** · waste paper · الورق المستعمل   *76*
die **Ampel,** *-n* · traffic lights · إشارة المرور   *130*
das **Amt,** *Ämter* · office · الإدارة   *133*
anbieten · to offer · يعرض   *45*
anbraten · to brown · يقلي   *56*
anderthalb · one and a half · واحد ونصف   *171*
anfangen · to begin · يبدأ   *115*
anfassen · to touch · يلمس   *24*
die **Angabe,** *-n* · information, detail · البيان   *10*
das **Angebot,** *-e* · offer · العرض   *84*
die **Angst,** *Ängste* · fear · الخوف   *18*
ängstlich · fearful · خائف   *18*
sich **anhören** · to listen · ينصت إلى   *25*
ankommen · to arrive · يصل   *120*
die **Anmeldung,** *-en* · registration · التسجيل   *134*
annehmen · to accept · يقبل   *45*
anprobieren · to try on · يجرب   *95*
anschauen · to take a look · يشاهد   *63*
der **Anschluss,** *Anschlüsse* · connection · توصيلة   *123*
die **Anschrift,** *-en* · address · العنوان   *11*
ansehen · to look at · يشاهد   *115*
anstellen · to employ, to queue · طابور يوظف، يصطف في   *88, 95*
der **Antrag,** *Anträge* · application · الطلب   *136*
die **Antwort,** *-en* · answer · الإجابة   *77*
die **Anzeige,** *-n* · advert, charge · إعلان   *65, 122*
der **Anzug,** *Anzüge* · suit · البدلة   *97*
der **Apfel,** *Äpfel* · apple · التفاحة   *47*
die **Apotheke,** *-n* · pharmacy · الصيدلية   *92*
der **Appetit** · appetite · الشهية   *57*
arbeiten · to work · يعمل   *83*
der **Arbeitgeber,** *-* · employer · صاحب العمل   *88*
der **Arbeitnehmer,** *-* · employee · العامل   *88*
arbeitslos · unemployed · عاطل   *87*
der **Arbeitsplatz,** *-plätze* · workplace, job · مكان العمل   *87*
der **Arm,** *-e* · arm · الذراع   *20*
arm · poor · فقير   *142*
der **Artikel,** *-* · article · السلعة   *94*
der **Arzt,** *Ärzte* · doctor · الطبيب   *27*

die **Arztpraxis,** -*praxen* · doctor's surgery · عيادة الطبيب 27

atmen · to breathe · يتنفس 24

Auf Wiederhören · goodbye (on the phone) · مع السلامة في الهاتف 6

Auf Wiedersehen · goodbye · مع السلامة 6

der **Aufenthalt,** -*e* · stay · الإقامة 67

die **Aufenthaltserlaubnis** · residence permit · رخصة الإقامة 133

aufgeregt · excited · قلق 17

aufhängen · to hang out · يعلق 100

aufräumen · to tidy up · يرتب 73

aufwärmen · to warm up · يسخن 74

der **Aufzug,** *Aufzüge* · lift · المصعد 65

das **Auge,** -*n* · eye · العين 20

die **Ausbildung,** -*en* · apprenticeship, education · التعليم 81, 90

ausfallen · to be cancelled · يلغي 117

der **Ausflug,** *Ausflüge* · trip, excursion · النزهة 128

ausfüllen · to fill in · يملأ 135

der **Ausgang,** *Ausgänge* · exit · المخرج 114

ausgeben · to spend · يصرف 93

ausgehen · to go out · خرج 59

die **Auskunft,** *Auskünfte* · information · معلومات 40

das **Ausland** · abroad · الخارج 127

ausschließen · to exclude · استبعد 71

das **Aussehen** · appearance · المظهر 20

die **Aussicht,** -*en* · view · المنظر 72

aussteigen · to get off · ينزل 119

ausverkauft · sold out · نفد 115

auswärts essen · to eat out · يتناول الطعام بالخارج 58

der **Ausweis,** -*e* · identification card · بطاقة الهوية 19

ausziehen · to move out · انتقل 66

das **Auto,** -*s* · car · السيارة 124

die **Autobahn,** -*en* · motorway · الطريق السريع 124

der **Automat,** -*en* · machine · الماكينة 137

B

der **Bachelor,** -*s* · bachelor · البكالوريوس 81

backen · to bake · يخبز 71

der **Bäcker,** - · baker · الخباز 86

die **Bäckerei,** -*en* · bakery · المخبز 92

die **Backwaren** (*Pl.*) · baked goods · المعجنات 48

der **Badeanzug,** -*anzüge* · swimsuit · ملابس سباحة 101

das **Badezimmer,** - · bathroom · الحمام 62

das **Baguette,** -*s* · baguette · الرغيف الفرنسي 48

der **Bahnhof,** -*höfe* · train station · محطة 65

der **Bahnsteig,** -*e* · platform · رصيف المحطة 118

bald · soon · قريباً 165

der **Balkon,** -*s*/-*e* · balcony · شرفة 65

der **Ball,** *Bälle* · ball · الكرة 111

die **Banane,** -*n* · banana · الموز 48

die **Bank,** -*en* · bank · المصرف 133

der **Bär,** -*en* · bear · الدب 154

das **Bargeld** · cash · الأموال النقدية 135

basteln · to do arts and crafts · يصنع عمل فني يدوي 104

die **Batterie,** -*n* · battery · البطارية 76

der **Bauch,** *Bäuche* · belly · البطن 20

der **Baum,** *Bäume* · tree · الشجرة 155

die **Baumwolle** · cotton · الصوف 99

die **Baustelle,** -*n* · building site, roadworks · موقع البناء 65, 126

beantragen · to apply for sth. · يطلب 135

der **Becher,** - · cup, pot · الكأس 76

bedecken · to cover · يغطي 158

die **Bedeutung,** -*en* · meaning · المعنى 79

die **Bedingung,** -*en* · condition · الظرف 126

sich **beeilen** · to hurry · يُسرع 120

beenden · to end · ينهي 166

beginnen · to start · يبدأ 83

begrüßen · to greet, to welcome · يُرحب 6

die **Behörde,** -*n* · authority · السلطة 133

das **Bein,** -*e* · leg · الساق 20

beißen · to bite · يعض 157

der **Beitritt,** -*e* · accession · الانضمام 143

der/die **Bekannte,** -*n* · acquaintance · المعرفة 38

bekommen · to get · يحصل على 92

die **Benachrichtigung,** -*en* · notification · الإشعار 138

bepacken · to load · يُحمِّل 66

bequem · comfortable · مريح 69

die **Beratung,** -*en* · advice · الإستشارة 96

R

berechtigen · to entitle · صرح 71

der **Bereich,** *-e* · department · المجال 85

sich **bereit erklären** · to agree · يوافق 71

der **Berg,** *-e* · mountain · الجبل 152

der **Beruf,** *-e* · profession · الوظيفة 81

die **Berufsschule,** *-n* · vocational school, college · المدرسة المهنية 81

Bescheid geben · to inform · أبلغ 90

beschreiben · to describe · يصف 62

sich **beschweren** · to complain · يشتكي 95

der **Besen,** - · broom · مقشة 75

besichtigen · to visit · يزور 107

besser · better · أفضل 27

bestellen · to order · يطلب 99

bestrafen · to punish · يعاقب 143

der **Besuch,** *-e* · visit, guests · الزيارة 42

besuchen · to attend, to visit · يزور 83, 114

betreten · to enter · يدخل 65

das **Bett,** *-en* · bed · السرير 68

die **Bevölkerung,** *-en* · population · السكان 149

die **Bewerbung,** *-en* · application · طلب التقدم إلى وظيفة 83

bewerten · to evaluate · يقيم 67

bewilligen · to approve · يعتمد 136

bewölkt · cloudy · ملبد بالغيوم 158

bezahlen · to pay · يدفع 93

die **Bezeichnung,** *-en* · label · التسمية 14

beziehen · to change the bed, to move in · غير السرير، تحرك 66

die **Beziehung,** *-en* · relationship · العلاقة 41

der **BH (= Büstenhalter),** *-[s]* · bra · حمالة الصدر 101

die **Bibliothek,** *-en* · library · المكتبة 82

die **Biene,** *-n* · bee · النحلة 156

das **Bier,** *-e* · beer · الجعة 52

der **Bikini,** *-s* · bikini · مايوه بيكيني 101

das **Bild,** *-er* · picture, image · الصورة 10

der **Bildschirm,** *-e* · screen, monitor · الشاشة 88

billig · cheap · رخيص 62

der **Bioladen,** *-läden* · natural food store · متجر الأغذية العضوية 93

die **Biologie** · biology · الأحياء 78

der **Biomüll** · organic waste · نفايات عضوية 76

die **Birne,** *-n* · pear · الكمثرى 47

das **Blatt,** *Blätter* · leaf · الورقة 155

blau · blue · أزرق 69

der **Blazer,** - · blazer · البليزر 100

bleiben · to stay, to remain · يمكث 29

der **Bleistift,** *-e* · pencil · القلم الرصاص 77

der **Block,** *Blöcke* · writing pad · دفتر القطع 79

blond · blond · أشقر 21

die **Blume,** *-n* · flower · الوردة 155

der **Blumenstrauß,** *-sträuße* · bouquet · باقة الزهور 155

die **Bluse,** *-n* · blouse · البلوزة 97

das **Blut** · blood · الدم 21

die **Bohrmaschine,** *-n* · drill · المثقاب 73

das **Boot,** *-e* · boat · القارب 118

die **Börse,** *-n* · exchange · البورصة 145

der **Brand,** *Brände* · fire · الحريق 143

brauchen · to need · يحتاج 92

braun · brown · بني 69

brechen · to break, to vomit · يكسر 27, 32

der **Brei,** *-e* · mash · الهريس 50

breit · wide · واسع 21

die **Brezel,** *-n* · pretzel · الكعك المملح 47

der **Brief,** *-e* · letter · الخطاب 89

die **Briefmarke,** *-n* · stamp · طابع البريد 137

die **Brille,** *-n* · glasses · النظارة 102

bringen · to bring · يحضر 59

das **Brot,** *-e* · bread · الخبز 47

das **Brötchen,** - · (bread) roll · الخبز الصغير 47

die **Brücke,** *-n* · bridge · الجسر 130

der **Bruder,** *Brüder* · brother · الأخ 34

das **Buch,** *Bücher* · book · الكتاب 105

die **Bücherei,** *-en* · library · محل الكتب 106

die **Buchhandlung,** *-en* · bookshop · متجر الكتب 93

buchstabieren · to spell · يتهجى 8

das **Bügeleisen,** - · iron · المكواة 73

bügeln · to iron · يكوي 100

das **Bundesland,** *-länder* · federal state · الولاية الاتحادية 147

der **Bürger,** - · citizen · المواطن 140

der **Bürgermeister,** - · mayor · العمدة 147

das **Büro,** *-s* · office · المكتب 88

die **Büroklammer,** *-n* · paper clip · مشبك الورق 88

die **Bürste,** *-n* · brush · الفرشاة 23

der **Bus,** *-se* · bus · الحافلة 118

die **Butter** · butter · الزبدة 55

R

C

das **Café**, -s · café · المقهى 59
die **Chance**, -n · opportunity · الفرصة 82
der **Chef**, -s · boss · المدير 84
die **Chemie** · chemistry · الكيمياء 78
der **Chor**, *Chöre* · choir · الكورال 108
circa · approximately · حوالي 170
die **Cola (Coca-Cola®)**, -s · Coke® ·
الكولا (كوكاكولا®) 52
der **Comic**, -s · comic · المجلة الهزلية 105
der **Cousin**, -s · cousin · ابن العم ، ابن الخال 36
die **Creme**, -s · cream · الكريم 23

D

damals · back then · حينئذ 163
die **Dame**, -n · lady · السيدة 94
danke · thanks · شكراً 43
die **Daten** *(Pl.)* · data, information · البيانات
144
das **Datum**, *Daten* · date · التاريخ 11
dauern · to take (time), to last · يستمر 166
dauernd · constant · على الدوام 166
dekorieren · to decorate · يزين 57
demokratisch · democratic · ديمقراطي 139
die **Demonstration**, -en · demonstration ·
المظاهرة 142
der **Dialog**, -e · dialogue · الحوار 8
dick · thick · سمين 21
diskutieren · to discuss · يتناقش 45
das **Dorf**, *Dörfer* · village · القرية 147
die **Dose**, -n · can · العلبة 52
die **Drogerie**, -n · chemist's · محل عطارة 23
der **Drucker**, - · printer · الطابعة 88
dumm · stupid · غبيّ 17
dunkel · dark · مظلم 21, 62
dünn · thin · رفيع 21
durchbrennen · to burn through · يحترق 67
die **Durchsage**, -n · announcement · إعلان
122
der **Durst** · thirst · العطش 49
duschen · to have a shower · يستحم 22
dutzend · dozen · دستة 171
duzen · to address s.o. as „du" · يرفع التكلفة
39

E

egoistisch · selfish · أنانيّ 18
die **Ehe**, -n · marriage · الزواج 36
die **Ehefrau**, -en · wife · الزوجة 34
der **Ehemann**, *-männer* · husband · الزوج 34
das **Ehepaar**, -e · married couple · الزوجان
10
der **Ehrgeiz** · ambition · الطموح 18
ehrlich · honest · أمين 17
das **Ei**, -er · egg · البيضة 55
die **Eigenschaft**, -en · characteristic ·
الصفة الشخصية 17
der **Eimer**, - · bucket · الدلو 75
eincremen · to put on some cream ·
يضع كريم على البشرة 22
der **Eingang**, *Eingänge* · entrance · المدخل
114
einkaufen · to buy, to shop · يشتري 92
der **Einkaufswagen**, -/-*wägen* ·
supermarket trolley · عربة التسوق 91
das **Einkaufszentrum**, -*zentren* ·
shopping centre · مركز التسوق 93
das **Einkommen**, - · income · الدخل 135
die **Einladung**, -en · invitation · الدعوة 42
einordnen · to arrange in order · يُصنف 6
einpacken · to wrap · يغلف 95
die **Einrichtung**, -en · furnishing · الأثاث 68
einsteigen · to get on · يصعد 119
der **Einwohner**, - · inhabitant · الساكن 147
einzeln · individual, a few · فرديّ 172
einziehen · to move in · انتقل 66
einzig · sole · وحيد 172
das **Eis** · ice cream, ice · الآيس كريم 59, 113
der **Eiskunstlauf** · figure skating ·
التزلج الفني على الجليد 112
der **Elektriker**, - · electrician · الكهربائي 85
die **Eltern** *(Pl.)* · parents · الوالدين 34
die **E-Mail**, -s · e-mail · البريد الإلكتروني 43
der **Empfänger**, - · recipient · المرسل إليه 137
eng · tight · ضيق 96
der **Enkel**, - · grandchild · الحفيد 36
die **Ente**, -n · duck · البطة 49
entlassen · to dismiss, to fire · يطرد 88
sich entscheiden · to decide · يقرر 82
die **Entschuldigung**, -en · apology ·
الاعتذار 33
sich entspannen · to relax · يسترخي 30
entsprechen · to correspond · يناسب 84

R

enttäuschen · to disappoint · خيّب أمله *17*
die **Erdbeere, -n** · strawberry · الفرولة *48*
die **Erde** · earth · الأرض *155*
das **Erdgeschoss, -e** · ground floor · الدور الأرضي *94*
die **Erfahrung, -en** · experience · الخبرة *83*
ergänzen · to complete · يكمل *7, 20*
das **Ergebnis, -se** · result · النتيجة *112*
sich **erholen** · to recover · يستجم *32*
die **Erkältung, -en** · cold · نزلة برد *28*
die **Erklärung, -en** · explanation · الشرح *79*
sich **erkundigen** · to enquire · يستعلم *114*
erlauben · to allow · يسمح *74*
die **Ernährung** · diet · التغذية *31*
eröffnen · to open · يفتح *144*
erreichen · to reach · يصل *122*
erschöpft · exhausted · مرهق *30*
erwachsen · adult · راشد *19*
erwarten · to expect · يتوقع *85*
erziehen · to raise · يربي *37*
der **Esel, -** · donkey · الحمار *156*
essen · to eat · يأكل *58*
der **Essig** · vinegar · الخل *47*
die **EU (= Europäische Union)** ·
 EU (= European Union) · الاتحاد الأوروبي *150*
der **Exmann, -männer** · ex-husband · الزوج السابق *36*
exportieren · to export · يصدر *145*

F

das **Fach, Fächer** · subject · المادة *78*
die **Fachhochschule, -n** · university of applied sciences · المعهد الفني العالي *81*
die **Fähigkeit, -en** · skill · القدرة *85*
die **Fahrbahn, -en** · carriageway, lane · طريق السير *126*
die **Fähre, -n** · ferry · المعدية *118*
fahren · to drive, to go (by bus etc.) · يقود *121*
der **Fahrer, -** · driver · السائق *86*
der **Fahrplan, -pläne** · timetable · جدول المواعيد *119*
das **Fahrrad, -räder** · bicycle · الدراجة *124*
das **Fahrzeug, -e** · vehicle · وسيلة النقل *126*
der **Familienstand** · marital status · الحالة الاجتماعية *133*

fangen · to catch · يُمسك *112*
fantasievoll · imaginative · خياليّ *17*
die **Farbe, -n** · colour · اللون *69*
faul · lazy · كسول *17*
der **Fehler, -** · error · الخطأ *77*
der **Feierabend, -e** · end of work · نهاية الدوام *89*
feiern · to celebrate · يحتفل *43*
der **Fels, -en** · rock · الصخرة *152*
das **Fenster, -** · window · النافذة *62*
die **Ferien** *(Pl.)* · holidays · الأجازة *128*
der **Fernseher, -** · television · التلفاز *70*
das **Fest, -e** · celebration · الاحتفال *46*
das **Fett, -e** · fat · الدهون *49*
die **Feuerwehr, -en** · fire brigade · المطافئ *133*
das **Feuerzeug, -e** · lighter · الولاعة *102*
das **Fieber** · fever · الحمى *27*
die **Figur, -en** · figure · الإصبع *26*
die **Finanzen** *(Pl.)* · finances · المال *146*
der **Finger, -** · finger · الإصبع *20*
die **Firma, Firmen** · company · الشركة *88*
der **Fisch, -e** · fish · السمكة *156*
fit · fit · مناسب *30*
die **Fläche, -n** · area · المساحة *149*
die **Flasche, -n** · bottle · الزجاجة *52*
das **Fleisch** · meat · اللحم *48*
fleißig · hard-working, diligent · مجتهد *17*
die **Fliege, -n** · fly · الذبابة *156*
fliegen · to fly · يسافر بالطائرة *122*
fließend · fluent · سائل *84*
der **Flohmarkt, -märkte** · flea market · السوق الشعبي *93*
der **Flugbegleiter, -** · steward · مضيف الطيران *119*
der **Flughafen, -häfen** · airport · ميناء جوي *118*
das **Flugzeug, -e** · plane · الطائرة *118*
der **Fluss, Flüsse** · river · النهر *151*
der **Föhn, -e** · hairdryer · مجفف الشعر *23*
fordern · to demand, to call for · يطالب *142*
die **Form, -en** · form · الشكل *20*
formell · formal · رسميّ *9*
das **Formular, -e** · form · الاستمارة *133*
der **Fotoapparat, -e** · camera · الكاميرا *108*
fotografieren · to photograph · يصوّر *104*
die **Frage, -n** · question · السؤال *77*
die **Frau, -en** · woman, wife · السيدة *10, 32*

frei · free · مجاني 114

die **Freizeit** · leisure time · وقت الفراغ 104

das **Fremdenverkehrsbüro,** *-büros* · tourist office · مكتب السياحة 128

fressen · to eat, to devour · يلتهم 155

sich **freuen** · to be pleased · يفرح 7

sich **freuen auf** · to look forward to · يفرح بشئ سيحدث 78

der **Freund,** *-e* · friend · الصديق 38

freundlich · friendly · ودود 39

der **Frieden,** *-* · peace · السلام 142

der **Friseur,** *-e* · hairdresser · الحلاق 23

fröhlich · cheerful · مرح 17

die **Frucht,** *Früchte* · fruit · الفاكهة 49

der **Frühjahrsputz** · spring clean · التنظيف في فصل الربيع 74

der **Frühling,** *-e* · spring · الربيع 167

das **Frühstück,** *-e* · breakfast · الإفطار 54

der **Fuchs,** *Füchse* · fox · الثعلب 156

fühlen · to feel · يشعر 24

führen · to lead · يسوق 157

der **Führerschein,** *-e* · driving licence · رخصة القيادة 135

die **Führung,** *-en* · lead, guided tour · التوجيه 112, 117

funktionieren · to work · يعمل 67

der **Fuß,** *Füße* · foot · القدم 20

der **Fußball** · football · كرة القدم 110

der **Fußgänger,** *-* · pedestrian · الماشي 124

füttern · to feed · يطعم 155

G

die **Gabel,** *-n* · fork · الشوكة 55

der **Gang,** *Gänge* · corridor · الممر 91

ganz · all, entire · بأكمله 163

die **Garage,** *-n* · garage · الجراج 62

die **Garantie,** *-n* · warranty · الضمان 96

die **Garderobe,** *-n* · cloakroom · الشماعة 115

die **Gardine,** *-n* · curtain · الستارة 68

der **Gärtner,** *-* · gardener · البستاني 86

der **Gast,** *Gäste* · guest · الضيف 45

das **Gastspiel,** *-e* · guest performance · مباراة الذهاب 112

geboren · born · مولود 12

gebraucht · second-hand · مستعمل 99

das **Geburtsdatum,** *-daten* · date of birth · تاريخ الميلاد 11

der **Geburtsname,** *-n* · maiden name · الاسم في شهادة الميلاد 11

der **Geburtsort,** *-e* · place of birth · محل الميلاد 11

der **Geburtstag,** *-e* · birthday · عيد الميلاد 12

gefährlich · dangerous · خطير 139

gefallen · to please, to like · يُعجب 39, 98

das **Geflügel** · poultry · الدواجن 49

das **Gefühl,** *-e* · feeling · الشعور 16

der **Gegensatz,** *-sätze* · opposite · العكس 12

der **Gegenstand,** *-stände* · object · الجهاز 73

das **Gegenteil,** *-e* · opposite · العكس 17

das **Gehalt,** *Gehälter* · salary · الراتب 83

gehen · to go · يذهب 24

gelb · yellow · أصفر 69

das **Geld,** *-er* · money · المال 144

gemeinsam · together · مشترك 40

das **Gemüse,** *-* · vegetable · الخضروات 48

gemütlich · cosy · مريح 69

die **Geografie** · geography · الجغرافيا 78

der **Gepard,** *-e/-en* · cheetah · الفهد 156

geradeaus · straight ahead · إلى الأمام 130

das **Gerät,** *-e* · appliance · الجهاز 70

gerecht · fair · عادل 142

das **Gericht,** *-e* · dish (also: court) · الطبق، (أيضًا: المحكمة) 58

gern(e) · with pleasure · بكل سرور 43

gesamt · entire · مجمل 170

das **Geschäft,** *-e* · shop, deal · المحل، الصفقة 112, 145

das **Geschenk,** *-e* · gift, present · الهدية 43

geschieden · divorced · مُطلق 12

das **Geschirr** · dishes · الأطباق 72

das **Geschirrtuch,** *-tücher* · drying-up cloth · منشفة الصحون 75

die **Geschwindigkeit,** *-en* · speed · السرعة 132

die **Geschwister** *(Pl.)* · brothers and sisters · الإخوة 35

die **Gesellschaft,** *-en* · society, company · الشركة 82, 123

das **Gesetz,** *-e* · law · القانون 140

das **Gesicht,** *-er* · face · الوجه 21

das **Gespräch,** *-e* · conversation · المحادثة 45

R

Register

gestern · yesterday · الأمس 162

gesund · healthy · صحيّ 27, 31

die **Gesundheit** · health · الصحة 31

geteilt durch · divided by · مُقسماً على 170

das **Getränk,** -e · drink · المشروب 52

das **Getreide,** - · cereal · الحبوب 48

die **Gewalt** · violence · القوة 142

das **Gewicht,** -e · weight · الوزن 172

der **Gewinn,** -e · profit · المكسب 145

gewinnen · to win · يفوز 110

das **Gewitter,** - · thunderstorm · العاصفة 158

gießen · to water · يروي 155

das **Glas,** Gläser · glass · الكوب 52

glatt · smooth, slippery · أملس 74, 167

die **Gleichberechtigung** · equality · المساواة في الحقوق 142

gleichfalls · likewise here: and you · وأنت كذلك 51

das **Gleis,** -e · platform · رصيف المحطة 120

das **Glück** · luck · الحظ 112

glücklich · happy · سعيد 21

der **Glückwunsch,** -wünsche · congratulations · التهنئة 43

die **Glühbirne,** -n · lightbulb · المصباح الكهربائي 67

die **Glutenunverträglichkeit** · gluten intolerance · حساسية للجلاتين 60

das **Golf** · golf · الجولف 113

das **Grad Celsius** · degree Celsius · درجة مئوية 171

das **Gramm** · gramme · جرام 172

das **Gras,** Gräser · grass · العشب 155

gratis · free of charge · بدون مقابل 91

grau · grey · رمادي 69

die **Grenze,** -n · border · الحدود 147

grillen · to barbecue · يشوي 43

grob · rude · خشن 18

groß · big, tall · كبير 17

die **Größe,** -n · height, size · الطول، المقاس 11, 98

die **Großeltern** (Pl.) · grandparents · الأجداد 34

großzügig · generous · سخيّ 18

grün · green · أخضر 69

gründen · to found · يؤسس 88

die **Grundschule,** -n · primary school · المدرسة الابتدائية 81

der **Gruß,** Grüße · greeting · التحية 43

gültig · valid · ساري 136

günstig · reasonably priced · مناسب 93

die **Gurke,** -n · cucumber · الخيار 48

der **Gürtel,** - · belt · الحزام 100

gut · good · جيد 6

das **Gymnasium,** Gymnasien · academic secondary school (British: grammar school) · المدرسة الثانوية 81

H

das **Haar,** -e · hair · الشعر 20

der **Haartrockner,** - · hair dryer · مجفف الشعر 73

hacken · to chop · يفرم 56

der **Hafen,** Häfen · harbour · الميناء 118

das **Hähnchen,** - · chicken · الدجاجة 49

halb · half · نصف 172

der **Halbbruder,** -brüder · half brother · الأخ غير الشقيق 38

die **Halbschwester,** -n · half sister · الأخت غير الشقيقة 38

die **Halle,** -n · hall · الصالة 111

der **Hals,** Hälse · neck, throat · الرقبة 21

die **Haltestelle,** -n · stop · محطة 121

das **Halteverbot,** -e · stopping restriction · ممنوع الانتظار 143

der **Hammer,** Hämmer · hammer · المطرقة 73

die **Hand,** Hände · hand · اليد 20

der **Handball** · handball · كرة اليد 105

Händchen halten · to hold hands · يعقدا اليدين 41

der **Handel** · trade · التجارة 146

der **Händler,** - · dealer, merchant · التاجر 93

der **Handschuh,** -e · glove · القفاز 101

das **Handtuch,** -tücher · towel · المنشفة 23

hässlich · ugly · قبيح 21

der **Hauptbahnhof,** -höfe · main train station · محطة القطار الرئيسية 118

das **Hauptgericht,** -e · main course · الطبق الرئيسي 58

die **Hauptschule,** -n · type of secondary school · المدرسة الأساسية 81

das **Haus,** Häuser · house · المنزل 62

die **Hausarbeit,** -en · housework · الواجب المنزلي 72

die **Hausaufgabe,** -n · homework · الواجب المنزلي 78

der **Haushalt,** -e · household · البيت 70

die **Hausordnung,** -en · house rules · نظام المنزل 74

die **Haut,** Häute · skin · الجلد 21

das **Heft,** -e · exercise book · الكراسة 77

heim · home · إلى الوطن 129

die **Heimarbeit** · work from home · العمل بالمنزل 75

die **Heimat,** -en · home · الوطن 75

das **Heimspiel,** -e · home match · مباراة الإياب 112

heiraten · to marry · يتزوج 37

heiß · hot · ساخن 53

heißen · to be called · يُسمى 7

heiter · bright · مشرق 159

hell · light, bright · مضئ 21, 62

das **Hemd,** -en · shirt · القميص 97

der **Herbst,** -e · autumn · الخريف 167

der **Herd,** -e · cooker · الموقد 70

der **Herr,** -en · man · السيد 94

herrlich · wonderful, lovely · رائع 72

die **Herstellung** · manufacturing · التصنيع 146

das **Herz,** -en · heart · القلب 21

heterosexuell · heterosexual · متباين الجنس 42

heute · today · اليوم 162

der **Himmel,** - · sky · السماء 151

hinten · in the back · في الخلف 114

hinterlassen · to leave · يترك 90

hinzugeben · to add · يضيف 56

das **Hobby,** -s · hobby · الهواية 104

das **Hochhaus,** -häuser · high-rise building · ناطحة سحاب 63

höchstens · at most · حد أقصى 170

die **Hochzeit,** -en · wedding · حفل الزفاف 46

höflich · polite · مؤدب 17

das **Holz** · wood · الخشب 155

homosexuell · homosexual · مثلي جنسياً 42

hören · to hear · يسمع 24

die **Hose,** -n · trousers · البنطال 97

das **Hühnchen,** - · chicken · الدجاجة 50

der **Humor** · humour · الفكاهة 17

der **Hund,** -e · dog · الكلب 156

der **Hunger** · hunger · الجوع 49

der **Husten** · cough · الكحة 29

der **Hut,** Hüte · hat · القبعة 97

I

die **Idee,** -n · idea · فكرة 105

immer · always · دائماً 163

impfen · to vaccinate · يُطعّم 157

importieren · to import · يستورد 145

die **Industrie,** -n · industry · الصناعة 146

die **Information,** -en · information · معلومات 40

informell · informal · غير رسميّ 9

der **Ingenieur,** -e · engineer · المهندس 86

das **Insekt,** -en · insect · الحشرة 156

die **Insel,** -n · island · الجزيرة 151

die **Institution,** -en · institution · المنشأة 133

das **Instrument,** -e · instrument · الآلة الموسيقية 107

interessant · interesting · ممتع 114

sich **interessieren** · to be interested · اهتم بـ 105

J

die **Jacke,** -n · jacket · السترة 97

das **Jahr,** -e · year · السنة 164

jederzeit · anytime · في كل وقت 165

jetzt · now · الآن 163

joggen · to jog · يركض 111

der/das **Joghurt,** -[s] · yoghurt · الزبادي 48

der **Journalist,** -en · journalist · الصحفي 86

der/die **Jugendliche,** -n · teenager, young person · الشاب ، الشابة 10

jung · young · شاب 17

der **Junge,** -n · boy · الصبي 34

K

der **Kaffee,** -s · coffee · القهوة 52

der **Käfig,** -e · cage · القفص 154

der **Kalbsbraten,** - · roast veal · لحم عجل مشوي 49

der **Kalender,** - · calendar · التقويم 163

die **Kalorie,** -n · calorie · السعر الحراري 60

kalt · cold · بارد 167

der **Kamm,** Kämme · comb · المشط 23

sich **kämmen** · to comb · يُصفف شعره 22

der **Kampfsport** · combat sport · فنون القتال 113

R

das **Känguru,** -s · kangaroo · الكنغر 156
das **Kaninchen,** - · rabbit · الأرنب 154
das **Kännchen,** - · pot · الإبريق 52
der **Kanton,** -e · canton · المقاطعة 149
der **Kanzler,** - · chancellor · المستشار 140
der **Kapitän,** -e · captain · قائد الطائرة، قبطان 122
kaputt · broken · معطل 67
das **Karate** · karate · الكاراتيه 113
der **Karneval,** -e/-s · carnival · الاحتفال 168
die **Karotte,** -n · carrot · الجزر 53
die **Karriere,** -n · career · الحياة المهنية 82
die **Karte,** -n · card, ticket, map · بطاقة، تذكرة 46, 115, 147
die **Kartoffel,** -n · potato · البطاطس 56
der **Karton,** -s · carton, box · الكرتون 76
der **Käse** · cheese · الجبن 47
die **Käsespätzle** (Pl.) · cheese noodles · المعكرونة مع الجبن 58
die **Kasse,** -n · check-out · الخزينة 91
der **Kassenbon,** -s · receipt · الفاتورة 91
der **Kassierer,** - · cashier · الصراف 91
der **Kasten,** Kästen · box, crate · الصندوق 52, 138
das **Kaufhaus,** -häuser · department store · المتجر 94
kaum · barely · بالكاد 170
die **Kaution,** -en · deposit · تأمين 67
der **Keks,** -e · biscuit · البسكوت 60
der **Kellner,** - · waiter · النادل 59
kennen · to know · يعرف 80
kennenlernen · to get to know · يتعرف 38
die **Kenntnis,** -se · knowledge · المعرفة 84
die **Kette,** -n · necklace · القلادة 102
das **Kilogramm** · kilogramme · كيلوجرام 171
der **Kilometer,** - · kilometre · كيلومتر 171
das **Kind,** -er · child · الطفل 10
der **Kindergarten,** -gärten · nursery · رياض الأطفال 81
das **Kino,** -s · cinema · السينما 106
der **Kiosk,** -e · kiosk · الكشك 92
die **Klasse,** -n · class · الفصل 78
die **Klassenarbeit,** -en · class test · الإمتحان 78
die **Klassenfahrt,** -en · class trip · الرحلة المدرسية 79
klatschen · to clap, to applaud · يصفق 117
der **Klebstoff,** -e · adhesive · الصمغ 108

das **Kleid,** -er · dress · الفستان 97
die **Kleidung** · clothes · الملبس 97
klein · small · صغير 17
das **Klima** · climate · المناخ 158
die **Klingel,** -n · bell · الجرس 65
klug · clever · ذكيّ 17
die **Kneipe,** -n · pub · الحانة 56
das **Knie,** - · knee · الركبة 20
der **Knochen,** - · bone · العظم 21
der **Koch,** Köche · cook · الطباخ 86
kochen · to cook · يطبخ 71
die **Kohlensäure** · carbon dioxide, bubbles · حمض الكربونيك 60
der **Kollege,** -n · colleague · الزميل 38
kommen · to come · يأتي 43
die **Kommode,** -n · chest of drawers · خزانة بأدراج 68
kommunal · municipal · بلدي 150
komponieren · to compose · يُلحن 116
der **Kompromiss,** -e · compromise · التسوية 142
die **Konkurrenz** · competition · المنافسة 146
der **Kontakt,** -e · contact · الاتصال 40
der **Kontinent,** -e · continent · القارة 14
das **Konto,** Konten · account · الحساب 144
das **Konzert,** -e · concert · الحفلة الموسيقية 105
der **Kopf,** Köpfe · head · الرأس 20
der **Kopfschmerz,** -en · headache · الصداع 27
der **Körper,** - · body · الجسم 20
die **Körperpflege** · body care · العناية بالجسم 22
der **Körperteil,** -e · part of the body · جزء الجسم 20
die **Korrektur,** -en · correction · التصحيح 79
die **Kosmetik** · cosmetics · مستحضرات التجميل 94
kostenlos · free of charge · مجاناً 99
kostenpflichtig · subject to a charge · له رسوم 114
kräftig · strong · قوي 21
kraftvoll · powerful · شديد البأس 17
krank · ill · مريض 27
das **Krankenhaus,** -häuser · hospital · المستشفى 133
die **Krankenkasse,** -n · health insurance · التأمين الصحيّ 33

R

der **Krankenpfleger,** - · (male) nurse · المُمرض 33

die **Krankenschwester,** -n · nurse · الممرضة 33

der **Krankenwagen,** - · ambulance · سيارة الإسعاف 33

die **Krankheit,** -en · illness · المرض 27

krankschreiben · to give s. o. a sick note · يُعطي إجازة مرضية 33

das **Kraut,** Kräuter · herb · الملفوف 53

die **Krawatte,** -n · tie · رباط العنق 100

kreativ · creative · مبدع 83

die **Kreditkarte,** -n · credit card · بطاقة الائتمان 135

die **Kreuzung,** -en · crossroads · التقاطع 130

das **Kreuzworträtsel,** - · crossword · الكلمات المتقاطعة 74

der **Krieg,** -e · war · الحرب 142

die **Kritik,** -en · criticism · النقد 140

kritisch · critical · حرج 139

die **Küche,** -n · kitchen · المطبخ 62

der **Kuchen,** - · cake · الكعكة 48

der **Kugelschreiber,** - · biro, ballpoint pen · القلم الحبر الجاف 77

der **Kühlschrank,** -schränke · refrigerator · الثلاجة 70

der **Kunde,** -n · customer · الزبون 91

der **Kundendienst,** -e · customer service · خدمة العملاء 94

kündigen · to resign · يستقيل 88

die **Kunst,** Künste · art · الفن 116

kursiv · italic · مائل 71

die **Kurve,** -n · bend · المنعطف 124

kurz · short · قصير 21

küssen · to kiss · يقبّل 41

die **Küste,** -n · coast · الساحل 151

L

der **Lachs,** -e · salmon · السلمون 48

das **Ladegerät,** -e · mobile charger · الشاحن 108

die **Lampe,** -n · lamp · المصباح 68

das **Land,** Länder · country · الدولة 147

landen · to land · يهبط 122

die **Landschaft,** -en · landscape · المنظر الطبيعي 152

lang · long · طويل 21

langweilig · boring · ممل 114

der **Lastwagen,** - · lorry · سيارة نقل 124

laufen · to go, to run · يجري 24, 110

laut · loud · عالي 64

der **Lautsprecher,** - · loudspeaker · الميكروفون 73

leben · to live · يعيش 36

das **Leben,** - · life · الحياة 142

der **Lebenslauf,** -läufe · curriculum vitae · السيرة الذاتية 83

das **Lebensmittel,** - · food · المواد الغذائية 94

lecker · delicious · لذيذ 59

das **Leder,** - · leather · الجلد 99

leer · empty · فارغ 64

der **Lehrer,** - · teacher · المعلم 77

leider · unfortunately · للأسف 16

leidtun · to feel sorry · يتألم 27

leise · quiet · منخفض 64

lernen · to learn · يتعلم 80

lesbisch · lesbian · سحاقية 42

lesen · to read · يقرأ 104

die **Liebe** · love · الحب 41

liebe(r) ... · dear ... · عزيزي ، عزيزتي 43

lieben · to love · يحب 41

der **Liebhaber,** - · lover · عاشق 42

das **Lieblingshobby,** -s · favourite hobby · الهواية المفضلة 107

das **Lied,** -er · song · الأغنية 107

liefern · to deliver · يورد 99

die **Lieferung,** -en · delivery · التسليم 96

liegen lassen · to leave (sth.) · يُبقي 122

der **Likör,** -e · liqueur · مشروب كحولي 54

die **Limo(nade),** Limos (Limonaden) · lemonade · ليموناضة 52

das **Lineal,** -e · ruler · المسطرة 77

links · left · إلى اليسار 130

der **Liter,** - · litre · اللتر 92

die **Literatur,** -en · literature · الأدب 116

der **Löffel,** - · spoon · الملعقة 56

löschen · to extinguish · يطفئ 143

die **Lösung,** -en · solution · الحل 79

der **Löwe,** -n · lion · الأسد 154

R

M

machen · to do, to make · يفعل · 127

das **Mädchen,** - · girl · الفتاة · 34

der **Magen,** *Mägen* · stomach · المعدة · 21

die **Mahlzeit,** *-en* · meal · الوجبة · 54

mal · times · مرة · 170

malen · to paint · يرسم · 104

manchmal · sometimes · أحياناً · 161

der **Mann,** *Männer* · man, husband · الزوج · 10, 34

männlich · male · ذكر · 12

die **Mannschaft,** *-en* · team · الفريق · 110

der **Mantel,** *Mäntel* · coat · المعطف · 97

die **Mappe,** *-n* · folder · الملف · 84

der **Markt,** *Märkte* · market · السوق · 92

die **Marmelade,** *-n* · jam · المربى · 55

das **Maß,** *-e* · measure · القياس · 169

der **Master,** - · master · الماجستير · 81

die **Mathematik** · mathematics · الرياضيات · 78

die **Mauer,** *-n* · wall · السور · 148

die **Maus,** *Mäuse* · mouse · الفأرة · 88, 271

der **Mechaniker,** - · mechanic · الميكانيكي · 87

das **Medikament,** *-e* · medicine · الدواء · 28

das **Meer,** *-e* · sea · البحر · 151

die **Mehrheit,** *-en* · majority · الأغلبية · 142

die **Meldebehörde,** *-n* · registration office · مكتب السجلات · 134

der **Merkkasten,** *-kästen* · information box · خانة المعلومات · 14

messen · to measure · يقيس · 32

das **Messer,** - · knife · السكينة · 55

die **Metzgerei,** *-en* · butcher's · محل الجزارة · 92

die **Miete,** *-n* · rent · إيجار · 64

mieten · to rent · يستأجر · 64

der **Mieter,** - · tenant · مستأجر · 64

der **Mietvertrag,** *-verträge* · tenancy agreement · عقد إيجار · 64

die **Mikrowelle,** *-n* · microwave · الميكروويف · 70

die **Milch** · milk · اللبن · 53

militärisch · military · عسكري · 142

der **Milliliter,** - · millilitre · مليمتر · 171

die **Minderheit,** *-en* · minority · الأقلية · 142

minderjährig · underage · قاصر · 12

das **Mineralwasser,** *-wässer* · mineral water · المياه المعدنية · 53

der **Minister,** - · minister · الوزير · 140

minus · minus · سالب · 170

die **Minute,** *-n* · minute · الدقيقة · 164

der **Mitarbeiter,** - · employee · الموظف · 88

der **Mitbewohner,** - · housemate · زميل السكن · 65

mitbringen · to bring · يُحْضِر · 43

das **Mitglied,** *-er* · member · العضو · 40

mitmachen · to take part · يشارك · 40

der **Mittag,** *-e* · midday · الظهر · 162

Mitternacht · midnight · منتصف الليل · 56

der **Mixer,** - · blender · الخلاط · 73

das **Möbel,** - · furniture · الأثاث · 68

die **Mode,** *-n* · fashion · الموضة · 94

modern · modern · حديث · 96

mögen · to like · يحب · 39

der **Monat,** *-e* · month · الشهر · 164

morgen · tomorrow · الغد · 162

der **Morgen,** - · morning · الصباح · 162

motivieren · to motivate · يحفز · 83

das **Motorrad,** *-räder* · motorbike · دراجة نارية · 124

die **Mücke,** *-n* · mosquito · الناموسة · 156

müde · tired · مرهق · 17

der **Mund,** *Münder* · mouth · الفم · 20

die **Münze,** *-n* · coin · العملة المعدنية · 145

das **Museum,** *Museen* · museum · المتحف · 114

die **Musik** · music · الموسيقى · 105

das **Müsli,** *-s* · muesli · الموسلي · 55

die **Mutter,** *Mütter* · mother · الأم · 34

die **Mütze,** *-n* · cap · القبعة · 101

N

der **Nachbar,** *-n* · neighbour · الجار · 38

der **Nachmittag,** *-e* · afternoon · بعد الظهر · 162

die **Nachricht,** *-en* · message · الرسالة · 89

die **Nacht,** *Nächte* · night · الليل · 162

der **Nachtisch,** *-e* · dessert · الحلو · 58

der **Nagel,** *Nägel* · nail · المسمار · 21

die **Nähe** · nearby · القرب · 130

der **Name,** *-n* · name, surname · الاسم · 11

die **Nase,** *-n* · nose · الأنف · 20

die **Natur** · nature · الطبيعة · 151

der **Neffe,** -n · nephew · ابن الأخ ، ابن الأخت 36

negativ · negative · سلبيّ 18

nehmen · to take · يأخذ 59

nervös · nervous · عصبيّ 17

nett · nice · لطيف 18

neugierig · curious · فضوليّ 17

das **Neujahr** · New Year · العام الجديد 168

die **Nichte,** -n · niece · بنت الأخ ، بنت الأخت 36

der **Niederschlag,** -schläge · precipitation · هطول المطر 169

niedrig · low · منخفض 93

der **Norden** · north · الشمال 157

die **Notaufnahme,** -n · casualty · قسم الطوارئ 33

der **Notausgang,** -ausgänge · emergency exit · مخرج الطوارئ 33

die **Note,** -n · mark, grade, note · الدرجة 78, 107

der **Notfall,** -fälle · emergency · الطوارئ 33

der **Notruf,** -rufe · emergency call · مكالمة الطوارئ 33

die **Nummer,** -n · number · الرقم 169

die **Nuss,** Nüsse · nut · الجوزة 59

das **Nutztier,** -e · livestock · حيوان المزرعة 156

O

der **Oberkörper,** - · upper part of the body · الجزء العلوي من الجسد 26

das **Obst** · fruit · الفاكهة 48

der **Ochse,** -n · ox · الثور 156

der **Ofen,** Öfen · oven · الفرن 70

öffentlich · public · عام 114

öffnen · to open · يفتح 67

oft · often · غالباً 163

das **Ohr,** -en · ear · الأذن 20

der **Ohrring,** -e · earring · الحلق 102

der **Onkel,** - · uncle · العم ، الخال 34

operieren · to operate · يُجري عملية 32

die **Opposition,** -en · opposition · المعارضة 140

die **Orange,** -n · orange · البرتقالة 53

orange · orange · برتقالي 69

ordentlich · tidy, orderly · منظم 18

der **Ordner,** - · folder · الدوسيه 88

organisieren · to organise · يُنظم 44

die **Orientierung,** -en · orientation · التوجيه 130

der **Ort,** -e · location · المكان 11

der **Osten** · east · الشرق 157

das **Ostern,** - · Easter · عيد الفصح 129

P

das **Paket,** -e · package · الطرد 137

das **Papier,** -e · paper · الورقة 77

die/der **Paprika,** -[s] · pepper · الفلفل الأحمر 48

der **Parkplatz,** -plätze · parking · موقف السيارات 124

das **Parkverbot,** -e · no-parking zone · مخالفة وقوف 125

das **Parlament,** -e · parliament · البرلمان 140

die **Partei,** -en · party · الحزب 140

der **Partner,** - · partner · الشريك 36

die **Party,** -s · party · الحفل 46

der **Pass,** Pässe · passport · جواز السفر 135

passen · to suit · يناسب 46

passiv · passive · سلبيّ 17

der **Patient,** -en · patient · المريض 29

die **Pause,** -n · break · الإستراحة 78

das **Pech** · bad luck · سوء الحظ

peinlich · embarrassing · مخجل 166

die **Perle,** -n · pearl · اللؤلؤة 102

die **Person,** -en · person · الشخص 6

der **Personalausweis,** -e · identity card · البطاقة الشخصية 11

die **Personalien** (Pl.) · personal data · البيانات الشخصية 19

persönlich · personal · شخصي 40

das **Pfand,** Pfänder · deposit · الرهن 72

die **Pfanne,** -n · pan · المقلاة 57

der **Pfeffer** · pepper · الفلفل 47

das **Pferd,** -e · horse · الحصان 154

die **Pflanze,** -n · plant · النبات 154

das **Pflaster** - · plaster · الشريط اللاصق 29

das **Pflegeheim,** -e · nursing home · دار الرعاية 63

pflegen · to care for · يرعى 32

pflücken · to pick · يقطف 157

das **Pfund** · pound · رطل 172

R

der **Physiotherapeut,** -en · physiotherapist · أخصائي العلاج الطبيعي 86

das **Picknick,** -e/-s · picnic · النزهة 42

die **Pille,** -n · the pill · حبوب منع الحمل 42

der **Pilot,** -en · pilot · الطيار 118

der **Pilz,** -e · mushroom · الفطر 47

planen · to plan · يخطط 127

der **Platz,** Plätze · court, seat · المعلب، المقعد 111, 115

plus · plus · موجب 170

die **Politik** · politics · السياسة 133

die **Polizei** · police · الشرطة 133

das **Portemonnaie,** -s · wallet, purse · محفظة النقود 135

die **Portion,** -en · portion · القطعة 52

positiv · positive · إيجابي 18

die **Post** · post · البريد 133

die **Postleitzahl,** -en · postcode · الرقم البريدي 11

das **Praktikum,** Praktika · internship · التدريب 82

praktisch · practical · عملي 81

der **Präsident,** -en · president · الرئيس 141

der **Preis,** -e · price · السعر 96

preiswert · inexpensive · بسعر مناسب 93

privat · private · خاص 114

probieren · to try on · يقيس 98

die **Produktion,** -en · production · الإنتاج 146

das **Projekt,** -e · project · المشروع 89

prost · cheers · في صحتك 51

protestieren · to protest · يحتج 142

das **Prozent,** -e · percent · النسبة المئوية 170

die **Prüfung,** -en · exam · الإختبار 79

das **Publikum** · audience · الجمهور 117

der **Pullover,** - · jumper · البلوفر 97

pünktlich · punctual · منضبط 17

die **Puppe,** -n · doll · الدمية 107

die **Pute,** -n · turkey · الديك الرومي 49

putzen · to clean · ينظف 72

Q

die **Qualität,** -en · quality · الجودة 96

der **Quark** · quark · اللبن الخاثر 48

das **Quartal,** -e · quarter · الربع 166

R

der **Radiergummi,** -s · rubber · الممحاة 77

das **Radio,** -s · radio · الراديو 73

der **Rand,** Ränder · edge · الحد 147

sich **rasieren** · to shave · يحلق 22

der **Rasierer,** - · shaver · ماكينة الحلاقة 73

das **Rathaus,** -häuser · town/city hall · مبنى البلدية 133

die **Ratte,** -n · rat · الجرذ 19

rauchen · to smoke · يدخن 74

der **Raum,** Räume · room, space · الغرفة 62, 172

die **Reaktion,** -en · reaction · رد الفعل 117

die **Realschule,** -n · type of secondary school · المدرسة الثانوية المتخصصة 81

die **Rechnung,** -en · invoice, bill · الفاتورة 99

rechts · right · إلى اليمين 130

recyceln · to recycle · إعادة تدوير 76

reden · to talk · يتحدث 46

die **Redewendung,** -en · idiom · التعبير 50

reduzieren · to reduce · يقلل 91

das **Referat,** -e · presentation · المحاضرة 82

die **Reform,** -en · reform · الإصلاح 143

das **Regal,** -e · shelf · الرف 68

die **Regel,** -n · rule · القاعدة 20

der **Regen** · rain · المطر 159

die **Regierung,** -en · government · الحكومة 140

regional · regional · إقليمي 150

regnen · to rain · يمطر 158

reich · rich · غني 142

die **Reihe,** -n · row · الصف 115

die **Reihenfolge,** -n · order · الترتيب 8

das **Reihenhaus,** -häuser · terraced house · بيت في صف 63

reinigen · to clean, to dry-clean · ينظف 100

die **Reinigung,** -en · cleaning · التنظيف 73

der **Reis** · rice · الأرز 48

der **Reiseführer,** - · guidebook · المرشد السياحي 128

der **Reiseleiter,** - · tour guide · مشرف الرحلة 128

reisen · to travel · يسافر 127

reiten · to ride · يَمتطي 108

reklamieren · to complain · يطالب بـ 95

renovieren · to renovate · جدد 66

die **Rente,** -n · retirement · التقاعد 89

reparieren · to repair · يصلح 67

die **Republik, -en** · republic · الجمهورية 141
reservieren · to reserve · يحجز 58
der **Respekt** · respect · الاحترام 17
der **Rest, -e** · rest · القمامة 76
das **Restaurant, -s** · restaurant · المطعم 58
retten · to save · ينقذ 32
das **Rezept, -e** · prescription, recipe · روشتة 30, 57
der **Rezeptionist, -en** · receptionist · موظف الاستقبال 87
richtig · right, correct · صحيح 7
riechen · to smell · يشم 24
das **Rind, -er** · beef · لحم البقر 49
der **Ring, -e** · ring · الخاتم 102
der **Rock,** *Röcke* · skirt · التنورة 97
die **Rockmusik** · rock music · موسيقى الروك 116
rot · red · أحمر 69
der **Rücken, -** · back · الظهر 20
der **Rückruf, -e** · return call · الاستدعاء 90
der **Rucksack, -***säcke* · rucksack · حقيبة الظهر 79
die **Rückseite, -n** · back · الجهة الخلفية 11
die **Rücksicht, -en** · consideration · الاعتبار 18
rudern · to row · يُجدف 110
die **Ruhezeit, -en** · rest period · وقت الهدوء 67
ruhig · calm, quiet · هادئ 30, 62
rühren · to stir · يقلب 56

S

der **Sack,** *Säcke* · sack · الجوال 76
der **Saft,** *Säfte* · juice · العصير 53
die **Sahne** · cream · الكريمة 49
der **Salat, -e** · salad · السلطة 58
die **Salbe, -n** · ointment · المرهم 29
das **Salz** · salt · الملح 49
sammeln · to gain, to collect · يجمع 83, 157
sämtlich · all · كافة 170
die **Sandale, -n** · sandal · الصندل 101
satt · full · شبعان 30
sauber · clean · نظيف 64
sauer · sour · حامض 47
das **Schaf, -e** · sheep · الشاة 156

der **Schal, -s** · scarf · الوشاح 101
schälen · to peel · يقشر 56
der **Schalter, -** · counter · كاونتر 137
scharf · sharp, hot (taste) · حاد ، حار الطعم 32, 47
das **Schaufenster, -** · shop window · نافذة العرض 95
der **Schauspieler, -** · actor · الممثل 115
sich **scheiden lassen** · to get divorced · يُطلق 37
der **Schein, -e** · note · ورقة مالية 145
schenken · to give as a present · يُهدي 42
die **Schere, -n** · scissors · المقص 23
der **Scherzkeks, -e** · joker · المهرج 60
schick · chic · أنيق 96
die **Schiene, -n** · rail · قضبان السكك الحديدية 123
das **Schiff, -e** · ship · السفينة 118
der **Schinken, -** · ham · اللحم من فخذ الخنزير 49
der **Schirm, -e** · umbrella · الشمسية 102
der **Schlafanzug, -***anzüge* · pyjamas · ملابس النوم 100
schlafen · to sleep · ينام 31
die **Schlange, -n** · queue, snake · طابور الانتظار، ثعبان 117, 156
schlank · slim · نحيف 21
schlecht · bad · سئ 30
schließen · to close · يغلق 65
schlimm · terrible · فظيع 30
Schlittschuh fahren · to ice-skate · التزلج 113
das **Schloss,** *Schlösser* · castle · القصر 128
der **Schlüssel, -** · key · المفتاح 102
schmal · narrow · ضيق 21
schmecken · to taste · يتذوق 24
der **Schmerz, -en** · pain · الألم 27
sich **schminken** · to put on make-up · يُزين نفسه 22
der **Schmuck** · jewellery · الحُلي 102
schmutzig · dirty · متسخ 64
der **Schnäppchenjäger, -** · bargain hunter · المساوم 95
der **Schnaps,** *Schnäpse* · schnapps · الخمر 52
der **Schnee** · snow · الجليد 158
schneiden · to cut · يقص 22
schneien · to snow · يتساقط الجليد 159

R

das **Schnitzel,** - · schnitzel · شرائح اللحم المقلية (شنيتزل) 58

schnorcheln · to go snorkelling · يغوص 113

der **Schnupfen,** - · cold (runny nose) · الزكام 27

die **Schokolade,** -n · chocolate · الشوكولاتة 54

schön · beautiful · جميل 21

die **Schorle,** -n · spritzer · مشروب من المياه الغازية مع العصير أو النبيذ 53

der **Schrank,** Schränke · cupboard, wardrobe · الخزانة 68

schreiben · to write · يكتب 24

der **Schreibtisch,** -e · desk · المكتب 72

die **Schule,** -n · school · المدرسة 77

die **Schulter,** -n · shoulder · الكتف 21

die **Schulzeit,** -en · schooldays · أيام الدراسة 79

schwach · weak · ضعيف 30

der **Schwager,** Schwäger · brother-in-law · أخو الزوج ، زوج الأخت 36

die **Schwalbe,** -n · swallow · السنونو 156

der **Schwamm,** Schwämme · sponge · الإسفنجة 75

schwarz · black · أسود 69

das **Schwein,** -e · pork, pig · الخنزير 49, 154

die **Schwester,** -n · sister · الأخت 34

die **Schwiegereltern** (Pl.) · parents-in-law · الأصهار 35

das **Schwimmbad,** -bäder · swimming pool · حوض السباحة 110

schwimmen · to swim · يسبح 110

schwitzen · to sweat · يعرق 32

schwul · gay · مثلي 42

die **See** · sea · البحر 151

der **See,** -n · lake · البحيرة 151

segeln · to sail · يبحر 113

sehen · to see · يرى 24

die **Sehenswürdigkeit,** -en · sight · المعلم السياحي 128

sehr · very · جداً 45

die **Seife,** -n · soap · الصابونة 23

die **Sekretärin,** -nen · secretary · السكرتيرة 87

die **Selbstbedienung,** · self-service · الخدمة الذاتية 60

selbstlos · selfless · ناكر لذاته 18

selbstständig · self-employed · مستقل 88

selten · seldom · نادراً 161

das **Semester,** - · semester · الفصل الدراسي 82

das **Seminar,** -e · seminar · الندوة 82

der **Senior,** -en · senior citizen, elderly person · كبير السن 10

der **Sessel,** - · armchair · كرسي ذو ذراعين 68

der **Sex** · sex · الجنس 41

der **Sieg,** -e · victory · النصر 112

siezen · to address s.o. as „Sie" · يخاطب شخصاً بصيغة الإحترام 39

die **Silbe,** -n · syllable · المقطع 12

singen · to sing · يغني 108

der **Sinn,** -e · sense · الحاسة 26

die **Sitzung,** -en · meeting · اجتماع 89

Ski fahren · to go skiing · يتزحلق 113

der **Slip,** -s · brief · ملابس داخلية 101

die **Socke,** -n · sock · الجورب 97

das **Sofa,** -s · sofa · الأريكة 68

sofort · straightaway · فوراً 166

der **Sommer,** - · summer · الصيف 167

der **Sondermüll** · hazardous waste · نفايات خطرة 76

die **Sonne** · sun · الشمس 159

das **Souvenir,** -s · souvenir · التذكار 128

sozial · social · اجتماعي 139

die **Spaghetti** (Pl.) · spaghetti · سباجيتي 47

spannend · exciting · مشوق 83

der **Spaß,** Späße · fun · المرح 19

spät · late · متأخراً 166

spazieren gehen · to go for a walk · يتنزه 104

der **Speck** · bacon · شحم الخنزير 49

die **Speisekarte,** -n · menu · قائمة الطعام 61

der **Sperrmüll** · bulk refuse · النفايات ذات الحجم الكبير 153

die **Spezialität,** -en · speciality · التخصصات 58

der **Spiegel,** - · mirror · المرآة 68

das **Spiegelei,** -er · fried egg · البيض المقلي 60

spielen · to play · يلعب 112

der **Spielplatz,** -plätze · playground · الملعب 106

das **Spielzeug,** -e · toy · اللعبة 108

der **Sport** · sport · الرياضة 111

die **Sportart,** -en · type of sport · نوع الرياضة 113

sportlich · casual, sporty · رياضي   96
die **Sprache, -n** · language · اللغة   13
die **Sprechblase, -n** · speech bubble ·
   فقاعة كلام   7
sprechen · to speak · يتحدث   44
die **Sprechstunde, -n** · surgery hours ·
   ساعة الاستشارة   27
die **Sprechstundenhilfe, -n** · receptionist
   (in a doctor's surgery) · موظف الاستقبال   28
spülen · to wash up · يشطف   71
der **Staat, -en** · state · الدولة   147
die **Staatsangehörigkeit, -en** · nationality ·
   الجنسية   11
das **Stadion, Stadien** · stadium · الإستاد   111
die **Stadt, Städte** · town, city · المدينة   147
der **Stamm, Stämme** · trunk · الجذر   50
das **Standesamt, -ämter** · registry office ·
   مصلحة الأحوال المدنية   136
stark · strong · قوي   30
stattfinden · to take place · يبدأ   114
der **Stau, -s** · traffic jam · الإزدحام   129
der **Staubsauger, -** · vacuum cleaner ·
   المكنسة الكهربائية   71
die **Steckdose, -n** · socket · المقبس   67
stecken · to put · يُدخل   100
stehen · to suit, to stand · يقف   19, 98, 112
stehlen · to steal · يسرق   136
der **Stein, -e** · stone · الحجر   152
die **Stelle, -n** · job · الوظيفة   85
stellen · to put · يضع   155
der **Stempel, -** · stamp · الختم   88
sterben · to die · يموت   12
der **Stern, -e** · star · النجم   158
die **Steuer, -n** · tax · الضريبة   136
der **Stiefel, -** · boot · حذاء برقبة عالية   97
der **Stier, -e** · bull · الثور   156
der **Stock, -** · floor · الطابق   94
der **Strand, Strände** · beach · الشاطئ   151
die **Straße, -n** · street · الشارع   11
die **Straßenbahn, -en** · tram · قطار الشارع
   118
das **Streichholz, -hölzer** · match ·
   عود الثقاب   102
streiken · to strike · يضرب على   143
streiten · to argue · يتشاجر   41
der **Stress** · stress · الضغط   89
stressig · stressful · مُجهد   31

die **Strumpfhose, -n** · tights · جورب بنطلون
   101
das **Stück, -e** · piece · القطعة   52
studieren · to study · يدرس   80
das **Studium, Studien** · studies · الدراسة   81
der **Stuhl, Stühle** · chair · الكرسي   68
die **Stunde, -n** · hour · الساعة   164
der **Stundenplan, -pläne** · timetable ·
   جدول الحصص   78
der **Sturm, Stürme** · storm · العاصفة   160
suchen · to look for · يبحث عن   83
der **Süden** · south · الجنوب   157
die **Summe, -n** · total · الإجمالي   169
der **Supermarkt, -märkte** · supermarket ·
   سوبر ماركت   91
die **Suppe, -n** · soup · الحساء   50
surfen · to surf · يركب الأمواج   111
süß · sweet · حلو   47
die **Süßigkeit, -en** · sweet · الحلويات   31
sympathisch · nice · متعاطف   17
das **System, -e** · system · النظام   81

T

die **Tabelle, -n** · table · جدول   6
die **Tablette, -n** · pill · أقراص الداوء   29
der **Tag, -e** · day · اليوم   164
die **Tankstelle, -n** · petrol station ·
   محطة وقود   124
die **Tante, -n** · aunt · العمة ، الخالة   34
die **Tasche, -n** · bag · الحقيبة   92
der **Taschenrechner, -** · pocket calculator ·
   الآلة الحاسبة   79
das **Taschentuch, -tücher** · handkerchief ·
   منديل الجيب   102
die **Tasse, -n** · cup · الفنجان   52
die **Tastatur, -en** · keyboard · لوحة المفاتيح
   88
tasten · to feel · يتحسس   24
die **Tätigkeit, -en** · activity · النشاط   116
das **Tattoo, -s** · tattoo · الوشم   102
tauchen · to dive · يغطس   111
das **Team, -s** · team · الفريق   110
die **Technik** · technology · الهندسة   146
der **Tee, -s** · tea · الشاي   52
der **Teil, -e** · part · الجزء   25
teilnehmen · to participate · يُشارك   110

R

die **Teilzeit** · part-time · الدوام الجزئيّ 85

das **Telefon,** *-e* · telephone · هاتف 65

telefonieren · to telephone · يتصل هاتفيًّا 104

der **Teller,** *-* · plate · الطبق 52

das **Temperament,** *-e* · temperament · المزاج 18

die **Temperatur,** *-en* · temperature · درجة الحرارة 160

das **Tennis** · tennis · التنس 111

der **Teppich,** *-e* · carpet · السجادة 73

der **Termin,** *-e* · appointment · الموعد 42

die **Terrasse,** *-n* · terrace · الشرفة 72

teuer · expensive · غالي 62

der **Textmarker,** *-* · highlighter · قلم التمييز 88

das **Theater,** *-* · theatre · المسرح 114

die **Theke,** *-n* · counter · كاونتر 91

theoretisch · theoretical · نظري 81

der **Thunfisch,** *-e* · tuna · التونة 48

tief · low · متدني 93

das **Tier,** *-e* · animal · الحيوان 154

der **Tipp,** *-s* · tip · النصيحة 82

der **Tisch,** *-e* · table · المنضدة 68

der **Toaster,** *-* · toaster · حماصة الخبز 70

die **Tochter,** *Töchter* · daughter · الإبنة 34

der **Tod,** *-e* · death · الموت 142

die **Toilette,** *-n* · toilet · المرحاض 73

die **Tomate,** *-n* · tomato · الطماطم 47

die **Tonne,** *-n* · bin, ton · البرميل 72, 171

der **Topf,** *Töpfe* · pot · القدر 56

das **Tor,** *-e* · goal · الجول 112

der **Tourist,** *-en* · tourist · السائح 129

tragen · to wear · يرتدي 98

trainieren · to train · يتدرب 112

traurig · sad · حزين 17

treffen · to meet · يلتقي 44

sich **trennen** · to separate · يفصل 37

das **Treppenhaus,** *-häuser* · staircase · بيت الدرج 65

treu · loyal · مخلص 18

trinken · to drink · يشرب 59

das **Trinkgeld,** *-er* · tip · البقشيش 58

trocknen · to dry · يجفف 100

der **Trockner,** *-* · drier · المجفف 71

der **Tropfen,** *-* · drop · القطرة 29

tschüss · bye · إلى اللقاء 6

das **T-Shirt,** *-s* · t-shirt · تي شيرت 97

der **Turnschuh,** *-e* · trainer · الحذاء الرياضي 97

die **Tüte,** *-n* · bag · الكيس 91

U

die **U-Bahn,** *-en* · underground · مترو الأنفاق 118

überholen · to overtake · تجاوز 125

übermorgen · day after tomorrow · بعد الغد 162

überqueren · to cross · يعبر 125

die **Überstunde,** *-n* · hour of overtime · ساعة إضافية 89

überweisen · to transfer · يحول مبلغ 144

die **Übung,** *-en* · exercise · التمرين 79

das **Ufer,** *-* · bank, shore · الضفة 151

die **Uhr,** *-en* · watch · الساعة 102

die **Uhrzeit,** *-en* · time · الوقت 161

umarmen · to embrace · يعانق 41

die **Umkleidekabine,** *-n* · changing room · كابينة تغيير الملابس 95

der **Umschlag,** *Umschläge* · envelope · الظرف 137

umsonst · free of charge · مجاناً 91

umsteigen · to change · يغير 119

umtauschen · to exchange · يستبدل 95

der **Umweltschutz** · protection of the environment · حماية البيئة 153

der **Umzug,** *Umzüge* · move · الإنتقال 134

der **Unfall,** *Unfälle* · accident · الحادث 28

die **Universität,** *-en* · university · الجامعة 81

die **Unterhaltung,** *-en* · conversation, entertainment · المحادثة 45, 73

die **Unterhose,** *-n* · underpants · سروال داخلي 101

der **Unterkörper,** *-* · lower part of the body · الجزء السفلي من الجسد 26

die **Unterkunft,** *Unterkünfte* · accommodation · المسكن 67

die **Unterlagen** (*Pl.*) · documents · المستندات 135

untersagen · to forbid · يحظر 71

der **Unterschied,** *-e* · difference · الاختلاف 57

die **Unterschrift,** *-en* · signature · التوقيع 11

unterstützen · to support · يدعم 89

untersuchen · to examine · يفحص 29

unterwegs · out and about · في الطريق 128

der **Urlaub,** *-e* · holiday · العطلة 89

R

V

vegan · vegan · نباتي صرف *60*

vegetarisch · vegetarian · نباتي *58*

die **Verabredung,** -en · appointment, rendezvous · الموعد *45*

sich **verabschieden** · to say goodbye · يُودع *6*

die **Veranstaltung,** -en · event · الفعالية *116*

verantwortlich · responsible · مسئول *18*

die **Verbesserung,** -en · correction, improvement · التعديل *79*

verbieten · to forbid · يحظر *74*

die **Verbindung,** -en · connection · الإتصال *123*

die **Verbrennung,** -en · burn · الحرق *32*

verbringen · to pass (time) · يقضي *108*

verdienen · to earn · يربح *85*

der **Verein,** -e · club · النادي *40*

die **Verhandlung,** -en · negotiation · المفاوضة *143*

verheiratet · married · متزوج *12*

der **Verkäufer,** - · salesperson · البائع *91*

der **Verkehr** · traffic · المرور *123*

das **Verkehrsmittel,** - · transport · وسيلة المواصلات *118*

verlangen · to demand, to request · يطلب *143*

verletzen · to injure · يجرح *143*

die **Verletzung,** -en · injury · الإصابة *32*

sich **verlieben** · to fall in love · يقع في الحب *41*

verlieren · to lose · يخسر *112*

sich **verloben** · to get engaged · يخطب *37*

der **Verlust,** -e · loss · الخسارة *145*

vermieten · to rent out · يأجر *64*

der **Vermieter,** - · landlord · مؤجر *64*

verpacken · to pack · يغلف *66*

verpassen · to miss · يُفوّت *122*

verpflichten · to oblige · ألزم *71*

verreisen · to go away (on a journey) · يرحل *127*

die **Versammlung,** -en · meeting · التجمع *40*

verschieben · to postpone · يأجل *90*

verschmutzen · to pollute · يوسخ *73*

verschreiben · to prescribe · يكتب الدواء لـ *29*

sich **verschulden** · to get into debt · يستدين *145*

die **Verspätung,** -en · delay · تأخير *120*

vertrauen · to trust · يثق *40*

vertreten · to stand in · ينوب *89*

verwandt · related · قريب *37*

das **Vitamin,** -e · vitamin · الفيتامين *31, 60*

der **Vogel,** Vögel · bird · العصفور *154*

voll · full · ممتلئ *64*

der **Volleyball** · volleyball · الكرة الطائرة *113*

volljährig · of age · راشد *12*

die **Vollzeit** · full-time · الدوام الكامل *85*

die **Voraussetzung,** -en · prerequisite · الشرط *85*

die **Vorderseite,** -n · front · الجهة الأمامية *11*

die **Vorfahrt,** -en · right of way · أسبقية المرور *132*

vorgestern · day before yesterday · قبل الأمس *162*

vorhaben · to have planned · ينوي *46*

die **Vorhersage,** -n · forecast · التنبؤ *160*

der **Vormittag,** -e · morning · قبل الظهر *162*

vorn · in the front · في المقدمة *114*

der **Vorname,** -n · first name · الاسم الأول *11*

der **Vorschlag,** Vorschläge · proposal · الاقتراح *140*

die **Vorsilbe,** -n · prefix · المقطع الأمامي *66*

die **Vorspeise,** -n · starter · المقبلات *58*

sich **vorstellen** · to introduce oneself · يُعرف نفسه

das **Vorstellungsgespräch,** -e · job interview · مقابلة توظيف *84*

der **Vorverkauf,** Vorverkäufe · advance sale · الحجز المسبق *117*

die **Vorwahl,** -en · dialling code · مفتاح المدينة *138*

W

wachsen · to grow · ينمو *157*

das **Wachstum** · growth · النمو *146*

der **Waggon,** -s/-e · carriage · العربة *118*

die **Wahl,** -en · election · الانتخاب *140*

wählen · to choose · يختار *58*

wahrscheinlich · probably · ربما *32*

die **Währung,** -en · currency · العملة *145*

der **Wald,** Wälder · forest · الغابة *151*

wandern · to hike · يتجول · *128*
die **Ware**, -n · product · البضاعة · *91*
warm · warm · دافئ · *158*
warten · to wait · ينتظر · *42*
die **Warteschlange**, -n · queue · طابور الانتظار · *117*
das **Wartezimmer**, - · waiting room · غرفة الانتظار · *28*
das **Waschbecken**, - · washbasin · حوض غسل الوجه ، الصحون · *68*
die **Wäsche** · laundry · الغسيل · *100*
waschen · to wash · يغسل · *100*
der **Wäscheständer**, - · clothes horse · منشر الملابس · *73*
die **Waschmaschine**, -n · washing machine · غسالة الملابس · *70*
das **Wasser**, *Wässer* · water · الماء · *52*
der **Wasserball** · water polo · كرة الماء · *113*
der **Wasserhahn**, -*hähne* · tap · صنبور المياه · *69*
das **Wechselgeld** · change · باقي النقدية · *91*
wehtun · to hurt · يؤلم · *27*
weiblich · female · أنثى · *12*
der **Wein**, -e · wine · النبيذ · *52*
weiß · white · أبيض · *69*
weit · large · واسع · *96, 130*
weit · far · بعيد · *130*
die **Weiterbildung**, -en · further education · التدريب المستمر · *84*
das **Weizenbier**, -e · wheat beer · بيرة القمح · *53*
der **Wellensittich**, -e · budgerigar · البغاء · *156*
die **Welt**, -en · world · العالم · *14*
die **Werbung**, -en · advertisement · الدعاية · *96*
werden · to become · يصبح · *82*
das **Werk**, -e · work · العمل · *116*
die **Werkstatt**, -*stätten* · workshop, repair shop · الورشة · *87*
der **Werktag**, -e · working day · يوم العمل · *137*
das **Werkzeug**, -e · tool · الأداة · *73*
die **Wespe**, -n · wasp · الدبور · *156*
der **Westen** · west · الغرب · *157*
das **Wetter** · weather · المناخ · *160*
der **Whiskey**, -s · whiskey · الويسكي · *54*

die **Wiederholung**, -en · repetition · المراجعة · *79*
die **Wiese**, -n · meadow · المرج · *151*
wild · wild · بريّ · *156*
willkommen · welcome · مرحباً · *7*
der **Wind**, -e · wind · الرياح · *167*
winken · to wave · يلوح · *24*
der **Winter**, - · winter · الشتاء · *167*
die **Wirtschaft** · economy · الاقتصاد · *146*
wissen · to know · يعرف · *80*
die **Woche**, -n · week · الأسبوع · *164*
sich **wohlfühlen** · to be comfortable · يشعر بالارتياح · *69*
die **Wohngemeinschaft**, -en · shared flat · شقة مشتركة · *65*
die **Wohnung**, -en · apartment · الشقة · *62*
das **Wohnzimmer**, - · living room · غرفة المعيشة · *62*
der **Wolf**, *Wölfe* · wolf · الذئب · *156*
die **Wolke**, -n · cloud · السحابة · *159*
das **Wort**, -e/*Wörter* · word · الكلمة · *77*
die **Wortschlange**, -n · jumble of words · لعبة ثعبان الكلمات · *12*
die **Wunde**, -n · wound · الجرح · *28*
der **Wunsch**, *Wünsche* · wish · الرغبة · *48*
der **Wurm**, *Würmer* · worm · الدودة · *19*
die **Wurst**, *Würste* · sausage · السجق · *48*
das **Würstchen**, - · sausage · النقانق · *48*
die **Wut** · anger · الغضب · *18*

Y

das **Yoga** · yoga · اليوجا · *111*

Z

die **Zahl**, -en · number · العدد · *169*
zahlen · to pay · يدفع · *58*
der **Zahn**, *Zähne* · tooth · السن · *20*
die **Zahnpasta**, -*pasten* · toothpaste · معجون الأسنان · *23*
zärtlich · tender · رقيق · *18*
der **Zebrastreifen**, - · pedestrian crossing · خط المشاة · *125*
das **Zeichen**, - · sign · علامة · *126*
zeichnen · to draw · يرسم · *116*

R

zeigen · to show · يعرض   *130*

die **Zeit, -en** · time · الوقت   *163*

der **Zentimeter, -** · centimetre · سنتيمتر   *171*

zentral · central · مركزي   *62*

das **Zeugnis, -se** · report · الشهادة   *78*

die **Ziege, -n** · goat · المعزة   *156*

ziehen · to draw · يسحب   *135*

das **Ziel, -e** · goal · الهدف   *82*

das **Zimmer, -** · room · غرفة   *65*

die **Zitrone, -n** · lemon · الليمون   *53*

der **Zoo, -s** · zoo · حديقة الحيوان   *154*

die **Zubereitung, -en** · preparation · التحضير   *57*

zufrieden · satisfied, content · راضي   *17*

der **Zug,** *Züge* · train · القطار   *118*

zuhören · to listen · ينصت   *25*

zuordnen · to assign · يرتب   *7*

zurückgeben · to return · يعيد   *95*

zurzeit · currently · في الوقت الراهن   *165*

zusammen · together · سويًا   *40*

zusammenleben · to live together · يعيش مع   *41*

zusammenlegen · to fold · يطوي   *100*

zusammenpassen · to go together · وفّق   *84*

zusammenziehen · to move in together · يضم   *36*

der **Zuschlag,** *Zuschläge* · surcharge · الزيادة   *121*

zusehen · to see, to watch · يشاهد   *25*

die **Zutat, -en** · ingredient · المكونات   *57*

zuverlässig · reliable · أمين   *83*

R

Bildquellenverzeichnis

F = © Fotolia; S = © Shutterstock

S. 4–173: S/Naghiyev (Icons); **S. 4, S. 34–46:** F/Matthias Enter (Icon); **S. 7:** F/Monkey Business, F/WavebreakmediaMicro, F/Daniel Ernst, F/Igor Mojzes, F/Picture-Factory, F/Alexander Raths, F/Monkey Business, F/michaeljung; **S. 9:** S/Naghiyev (Icon Merkkasten); **S. 10:** F/oneinchpunch, F/alho007, F/Robert Kneschke, F/Monkey Business, F/contrastwerkstatt, F/Monkey Business; **S. 11:** Bundesrepublik Deutschland, Bundesministerium des Innern, PAuswV vom 01.11.2010, Anhang 1; S. 1469; **S. 12:** S/Naghiyev (Icon Merkkasten); **S. 13:** F/kartoxjm; **S. 20:** F/master1305, F/dimashiper, F/pavel1964; **S. 22:** F/thodonal, F/Andrey Popov, F/studybos, F/nys, F/gandolf, F/Kitty, F/milanmarkovic78, F/Igor Mojzes, F/Subbotina Anna; **S. 29:** F/agephotography, F/Jürgen Fälchle, F/SENTELLO, F/dimasobko, F/vgstudio, F/kivladimir; **S. 34:** F/WavebreakMediaMicro, F/drubig-photo; **S. 38:** F/Antonioguillem; **S. 40:** F/Thaut Images; **S. 41:** F/satura_, F/DDRockstar, F/Coka, F/Monkey Business; **S. 42:** F/Kzenon, F/oneinchpunch, F/drubig-photo, F/S.Kobold, F/impuls, F/romankosolapov, F/JackF, F/Kzenon, F/jan37; **S. 47:** F/womue, F/Barbara Pheby, F/photocrew, F/rdnzl, F/ovydyborets, F/pixelliebe, F/Olexandr, F/Tim UR, F/dima_pics; **S. 49:** F/Vlad Klok; **S. 50:** F/jonasginter; **S. 56:** S/Zdenka Darula, S/lightwavemedia, F/malydesigner, F/Igor Mojzes, F/Julianna Olah, F/stefanfister; **S. 57:** Siegfried Messner; **S. 61:** F/K.-U. Häßler, F/Inga Nielsen; **S. 62:** F/sveta, F/Africa Studio, F/deepvalley, F/3darcastudio, F/vera7388, F/Arsel; **S. 63:** F/BildPix.de, F/Torsten Radmann, Tiberius Gracchus, F/KB3, F/drubig-photo, F/blende11.photo; **S. 67:** F/Andriy Brazhnykov; **S. 68:** F/donatas1205, F/Petair, F/Mihalis A., Nomad_Soul, F/rustamir, F/3dmavr, F/euthymia, F/torsakarin, F/i-picture, F/dimamoroz, F/Stockcity, F/Tiler84; **S. 70:** F/viperagp; **S. 75:** F/digender, F/wsf-f, F/Andrey Popov, F/L.Klauser, F/euthymia, F/Schlierner; **S. 76:** F/Inga Nielsen, F/Klaus Eppele, F/mitifoto, F/Nik, F/M. Schuppich, F/eyetronic; **S. 77:** F/mirpic, S/studiovin, F/Björn Wylezich, S/Slavko Sereda, F/DOC RABE Media, S/Nuttapong; **S. 78:** S/Naghiyev; **S. 86:** F/goodluz, F/highwaystarz, S/pikselstock, F/autofocus67, F/rh2010, F/industrieblick, F/Photographee.eu, F/WavebreakMediaMicro, F/Sergey Nivens; **S. 88:** S/Rashevskyi Viacheslav, F/Thomas Siepmann; **S. 91:** F/Eisenhans, F/industrieblick, F/Kadmy; **S. 93:** F/PhotoSG, S/cunaplus, F/kasto, F/zhu difeng, S/Sergey Ryzhov, S/JNP; **S. 97:** F/kim, S/Petar Djordjevic, S/Blaj Gabriel, F/rozaivn58, F/indiraswork, S/Max Topchii; **S. 100:** F/eugenesergeev, F/Dan Race, S/Phovoir, S/NYS, S/Jiang Zhongyan, S/Felix Furo; **S. 102:** S/Alan Poulson Photography, S/Nasimi Babaev, F/rdnzl, S/Art_girl, S/jalcaraz, S/Olga Kovalenko; **S. 104:** F/micromonkey, F/Ana Blazic Pavlovic, F/Antonioguillem, F/vvvita, F/Rido, F/AntonioDiaz, F/Karin & Uwe Annas, F/asife, F/Monkey Business; **S. 108:** F/jeayesy, F/Ocskay Bence, F/Raisa Kanareva; **S. 111:** F/Jürgen Fälchle, F/djoronimo, F/Syda Productions, F/Kzenon; F/graphixmania, F/rea_molko, F/macrovector, F/bonezboyz; **S. 118:** F/JiSign; **S. 119:** F/majorosl66, F/seanlockephotography; **S. 120:** S/Heather_insane; **S. 124:** F/Konstantinos Moraiti, F/stockphoto-graf, F/md3d, F/maurogrigollo, F/andrew7726, F/Pavlo Vakhrushev, F/shantihesse, F/whim_dachs, F/silbru.dd; **S. 127:** F/Rido, F/Olesia Bilkei, F/Monkey Business; **S. 130:** F/stas111; **S. 132:** F/Pixelshop, F/PictureP., F/markus_marb, F/reeel, F/Waler, F/alekseyvanin; **S. 133:** S/VILevi, F/Kzenon, S/Africa Studio, F/benjaminnolte, F/Noppasinw, Bibliographisches Institut; **S. 135:** gematik GmbH, F/M. Schuppich, Rhein-Main-Verkehrsverbund GmbH, Bundesdruckerei GmbH, S/ArtWell, F/Rido; **S. 137:** Bibliographisches Institut; **S. 145:** F/coonlight, F/Björn Wylezich, F/bluedesign, F/Rawpixel.com, F/Coloures-pic, F/lassedesignen; **S. 147:** F/Artalis-Kartographie; **S. 149:** F/pico; **S. 151:** F/samott, F/HappyAlex, F/stefanasal, F/panaramka, F/fotografci, F/satori; **S. 153:** F/heebyj; **S. 154:** F/byrdyak, F/callipso88, F/artush, F/lues01, F/Lilifox, F/johnwilhelm; **S. 155:** F/photocrew, F/Zerbor, F/hbomuc, F/stockphoto-graf, F/_Vilor, F/grafikplusfoto; **S. 156:** F/olgasiv; **S. 157:** F/Adrian Niederhäuser; **S. 158:** F/WoGi; **S. 159:** F/rea_molko; **S. 161:** F/Lucky Dragon, F/BEAUTYofLIFE, F/Gina Sanders, F/abcmedia, F/dimedrol68, F/janvier; **S. 167:** F/haveseen, F/HappyAlex, F/Patrizia Tilly, F/K.-U. Häßler; **S. 169:** F/M. Schuppich, S/N K, F/Gina Sanders, F/Gina Sanders, F/Stefan Sieg, F/Jürgen Fälchle; **S. 171:** F/kamasigns, F/Olena Bloshchynska, F/tcsaba, F/picprofi, F/blende11.photo, F/Brilt; **S. 172:** S/Naghiyev